KB150272

물

사마리아 여인, 4세기, 비아 라티나 카타콤, 로마

노아의 방주, 3세기, 마르첼리노와 산 피에트로 카타콤, 로마

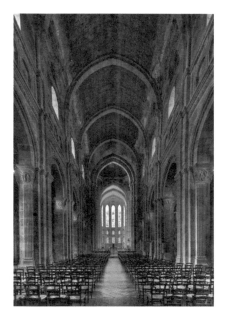

성 라자르 대성당 내부, 오툉, 프랑스, 12세기

〈동방박사의 꿈〉이 조각된 주두, 성 라자르 대성당, 오툉, 프랑스, 12세기

세례자 성 요한의 세례대, 시에나 두오모의 세례당 장면

조반니 디 투리노, 성모상, 벽감 중 유일한 청동에 도금 작품

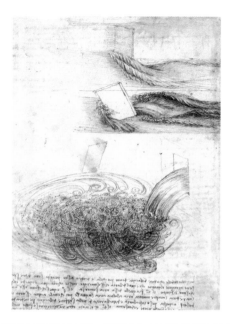

레오나르도 다 빈치의, 〈대홍수〉 드로잉 연작의 일부

레오나르도 다 빈치의, 〈대홍수〉 드로잉 연작의 일부

다이애나 메모리얼 전경

911 메모리얼 사이트

물의 교회, 안도 다다오, 1988

가든 그로브 커뮤니티 교회 분수

물

인천가톨릭대학교 부설
그리스도교 미술연구소 編

학연문화사

'물'을 펴내며

하루하루 새로운 도약의 발걸음을 내디디고 있는 인천가톨릭대학교는 한국 교회 미술의 발전과 현대의 그리스도교문화 선양을 위하여 열 번째로 '물'을 주제로 한 연구총서를 출간합니다. '십자가', '부활', '천사', '성모마리아', '빛', '문', '성경의 재해석', '생명', '광야'에 이어 '물'을 주제로 마련된 제10회 심포지엄은 제1부 학술대회와 제2부 초대 작가전으로 구성되어, 학술대회에서는 '물'에 관한 신학과 철학, 예술과 사회적 관점에서 다양하게 접근하여 물의 의미를 생각해보고, 초대 작가전은 물을 주제로 한 작품 전시를 통해 주제를 시각적으로 접근해보는 것입니다.

물은 인간에게 있어서 필요 불가결한 것입니다. 물은 갈증(渴症) 해소와 더러움을 씻어 줄 뿐만 아니라, 인간의 생명을 유지하는 데 없어서는 안 될 요소입니다. 우리도 어머니 배 속 양수에서 숨 쉬고 자라기 때문에 물은 인간 생명의 근원으로 비유되곤 합니다. 이처럼 물은 생명의 근원, 모든 창조물의 근원, 정화의 의미 등을 지니고 있습니다.

2018년, 그리스도교미술 심포지엄에서 '물'을 주제로 일곱 분의 연구자는 각기 다른 접근 방법, 즉 신학적, 종교적, 사회적, 공간적, 미술사적 관점에서 다양한 각도에서 물의 의미를 심도 있게 반추하여 논제를 이끌어 주셨습니다.

'물' 총서는 가톨릭관동대학교 대학경영지원 실장인 남재현 교수신부의 "요한복음의 '생명의 물'에 대한 신학적 고찰"이라는 발제문을 시작하여, 윤인복 교수의 "초기 그리스도교 미술에 나타난 물과 관련된 도상과 상징 연구", 정윤정 교수의 "성화(聖化) 프로그램 관점에서의 주두(柱頭) 도상에 대한 연구", 최병진 교수의 "시에나 대성당 세례대의 서사 구조와 주문자의 취향", 이지연 교수의 "레오나르도 다 빈치의 ≪대홍수≫ 연작에 대한 형태학적 접근", 윤선영 교수의 "메모리얼 공간에서 물의 의미와 형태에 관한 연구", 끝으로 이승지 교수의 "건축의 용도별 수공간의 유형 및 특성 연구"의 논문으로 구성돼 있습니다. 물에 관하여 요한복음이 지닌 상징과 은유적 표현을 명쾌하게 규명하고 있는 발제 논문과 초기 그리스도교 공동체의 형성 안에서 미술 도상에서 물이 상징하는 의미, 중세와 근세 미술에서 드러나는 그 시대 미술에서 물에 관한 신학적, 개념적 논의가 조명되고 있습니다. 또한 메모리얼 공간에 초점을 맞추어 추모와 애도의 행위와 연관한 논의, 수공간의 다양한 유형과 그 감각적 특성을 고찰하여, 물이 가지는 의미를 환경적 공간 안에서 짚어봄으로써 그 의미를 종교뿐만이 아니라 사회적 관점에서 분석하고 있습니다.

이 같은 '물'을 주제로 일곱 분의 연구자는 각기 다른 접근 방법으로 그 의미를 반추하고 앞으로의 지향점을 밝혀주셨습니다. 심도 있는 논문을 써주신 연구자분들께 다시 한번 감사드립니다. 앞으로도 인천가톨릭대학교 부설 그리스도교 미술연구소의 그리스도교미술 심포지엄은 그리스도교 신학의 기본적인 입장을 표출하고, 인류 복음화에 한 발 더 다가선다는 사명감을 가지고, 그리스도교미술의 미래지향적 가치로 풍성한 열매를 맺도록 노력하겠습니다. 끝으로 출판을 맡아주신 학연문화사 권혁재 대표님과 관계자 여러분께 감사드립니다.

2019년 7월
그리스도교미술 연구소장 윤인복

차 례

'물'을 펴내며 · 10

"내가 주는 물은"(τὸ ὕδωρ ὃ δώσω, 요한 4,14)
- 요한복음의 "생명의 물"(요한 4,5-15; 7,37-39)에 대한 신학적 고찰 -

남재현 (가톨릭관동대학교)

Ⅰ. 방향 설정 · 19
Ⅱ. 성경 안에 등장하는 '물' · 21
Ⅲ. 야곱의 우물에서 "생명의 물": 요한 4,5-15 · 26
Ⅳ. "생명의 빵": 요한 6,35 · 33
Ⅴ. 초막절 축제에서 "생명의 물": 요한 7,37-39 · 35
맺음말 · 38

초기 그리스도교 미술에 나타난 물과 관련된 도상과 상징 연구
- 로마 카타콤에 그려진 도상을 중심으로 -

윤인복 (인천가톨릭대학교)

Ⅰ. 서론 · 41

Ⅱ. 로마 카타콤에 그려진 이미지와 상징 · 42

Ⅲ. 물과 관련된 도상과 상징 · 50

　1. 노아의 홍수 · 50

　2. 요나 이야기 · 52

　3. 사마리아 여인 · 55

　4. 그리스도의 세례 · 57

Ⅳ. 결론 · 60

성화(聖化) 프로그램 관점에서의 주두(柱頭) 도상(圖像)에 대한 연구
- 오툉 성 라자르 대성당을 사례(事例)로 -

정윤정 (인천가톨릭대학교)

Ⅰ. 서론 · 63

Ⅱ. 오툉 성 라자르 대성당과 로마네스크 시대의 성화 프로그램 · 65

Ⅲ. 성화 프로그램 관점에서의 주두 도상에 대한 연구 · 69

 1. 성 라자르 대성당 내부 주두 배치 및 테마 · 70

 2. 선과 악의 주변 무대(舞臺)적 장치 · 72

 3. 악덕을 이기는 미덕에 대한 상징적 표현 · 74

 4. 카인(Cain)에게서 원죄(原罪)의 지속성과 죽음을 보다. · 75

 5. 말씀과 믿음을 지킨 자와 외면한 자에 대한 이야기 · 76

 6. 그리스도에 대한 서사적 구성 · 79

 7. 그리스도 안에 머문 자와 떠나간 자에 대한 최후의 심판 · 85

 8. 삼위일체, 찬미 그리고 천국 · 87

 9. 그리스도 수호자로서의 교회 · 88

Ⅵ. 결론 · 89

시에나 대성당 세례대의 서사 구조와 주문자의 취향

최병진 (한국외국어대학교)

Ⅰ. 서론 · 93

Ⅱ. 세례대의 도상 배치와 구조 · 94

Ⅲ. 도상 프로그램의 주체와 주문자의 취향 · 100

Ⅳ. 결론 · 106

레오나르도 다 빈치의 《대홍수》 연작에 대한 형태학적 접근

이지연 (한국예술종합학교)

Ⅰ. 서론 · 109

Ⅱ. 《대홍수》 연작의 문헌적-시각적 원천 · 112

　　1. 인간의 부재와 내러티브의 파괴 · 112

　　2. 종말론적 광경? · 120

Ⅲ. 드로잉에 대한 탐색: '생성적' 힘과 직관적 효과 · 124

Ⅳ. 결론 · 130

메모리얼 공간에서 물의 의미와 형태에 관한 연구
- 다이애나 메모리얼과 911 메모리얼 비교를 중심으로 -

윤선영 (인천가톨릭대학교)

Ⅰ. 서론 · 135
Ⅱ. 메모리얼 공간과 물 · 137
　1. 메모리얼 공간 · 137
　2. 물의 특성 · 140
　3. 메모리얼 공간에서의 물 · 142
Ⅲ. 다이애나 메모리얼과 911 메모리얼 · 143
　1. 분석대상 및 분석내용 · 143
　2. 다이애나 메모리얼 · 144
　3. 911 메모리얼 · 148
　4. 다이애나 메모리얼과 911 메모리얼의 물 비교 · 153
Ⅳ. 결론 · 154

건축의 용도별 수공간의 유형 및 특성 연구

이승지 (인천가톨릭대학교)

Ⅰ. 서론 · 157

Ⅱ. 수공간의 구현 목적과 유형 · 159

  1. 수공간의 구현 목적 · 159

  2. 수공간의 영역적 유형 · 161

  3. 수공간의 연출기법에 따른 유형 · 162

Ⅲ. 건축의 용도별 수공간 설치 사례 · 166

  1. 종교건축 · 166

  2. 공공건축 · 168

  3. 공동주택 · 169

Ⅳ. 건축의 용도별 수공간의 유형 및 특성 · 170

  1. 수공간의 영역적 유형에 따른 특성 · 171

  2. 수공간의 연출기법 유형에 따른 특성 · 172

Ⅴ. 결론 · 177

"내가 주는 물은"(τὸ ὕδωρ ὃ δώσω, 요한 4,14)
- 요한복음의 "생명의 물"(요한 4,5-15; 7,37-39)에 대한 신학적 고찰 -

남재현(가톨릭관동대학교)

I. 방향 설정
II. 성경 안에 등장하는 '물'
III. 야곱의 우물에서 "생명의 물": 요한 4,5-15

IV. "생명의 빵": 요한 6,35
V. 초막절 축제에서 "생명의 물": 요한 7,37-39
맺음말

I. 방향 설정

성경은 하느님의 말씀을 인간에게 전달하기 위하여 인간의 언어와 그 문학적인 방법을 이용하여 기록되었다. 다양한 문학적 방법 중에서 요한복음은 다른 복음에 비해 상징과 은유를 많이 사용하며, 이 상징과 은유 안에서 '예수 계시'의 본질적인 의미를 특색있게 전달한다.

복음의 시작인 요한 1,1-18에서 이미 의미심장한 개념으로 영원한 말씀(λόγος)을 소개하며, 하느님이신 이 말씀이 육체를 취하여 사람이 되었고, 세상의 빛으로서 하느님의 충만한 은총을 가지고 이 세상에 왔음을 선포한다. 그리고 이를 통하여 믿는 이들에게 영원한 생명이 가능하게 되었음을 전하며, 자신의 그리스도론을 요약적으로 소개한다. 이렇게 요한복음은 자신의 고유한 그리스도론을 조화로운 통일성 안에서 전개한다.

상징적이고 은유적인 표상들로 풍요롭게 구성된 요한복음의 중심은 단연 예수라는 '인물'이다. 하느님께서는 예수라는 인물을 통하여, 즉 예수의 말씀과 행적, 예수의 십자가 죽음과 부활 그리고 성령의 선물 안에서 스스로를 계시하신다. 서곡으로부터 시작해 복음의 마지막까지 독자들은 '예수라는 인물의 신비'로 초대된다. 그리고 이에 대한 이해를 돕기 위해 요한복음은 '어린양', '생명', '빵', '빛', '목자', '문', '길', '포도나무' 등을 비롯하여 본고에서 집중적으로 살펴볼 '물' 또는 '생명의 물'이라는 개념까지 다양한 상징과 은유를 활용한다.[1] 하나의 단어로 표현된 이런 상징과 은유 외에도 '생명의 물을 마심'(4,10-15; 7,37-39), '하늘로부터 내려온 빵'(6,33.50-51.58), '길이 남는 양식'(6,27), '사람의 아들의 살을 먹고 피를 마심'(6,53-56), '하늘로부터 다시 태어남'(3,33), '하느님의 천사들이 사람의 아들 위에서 오르내리는 것을 보게 됨'(1,51), '하늘로 올라감'(6,62), '십자가에 들어 올려짐'(3,14), '보게 됨과 눈먼 자가 됨'(9,39; 12,40) 등의 표현들 역시 요한복음만의 전형적인 상징과 은유에 속한다.[2] 이렇게 상징 또는 은유로 표현되는 소재와 이미지는 일상에서 접할 수 있는 익숙한 표상들이다. 요한복음은 이 표상들 그리고 이 표상들이 지닌 특징을 적극 활용하여 예수 그리스도라는 인물의 정체를 쉽게 전달하는 동시에, 예수께서 선사하는 구원, 영원한 생명을 선포한다.

본 논고는 요한복음이 지닌 많은 상징과 은유적인 표현들 중에서 '물'(ὕδωρ)에 초점을 맞출 것이다. 다양한 '물'의 표상 중에서 특별히 요한복음의 전형적인 표현이라고 할 수 있는 "생명의 물" 또는 "살아있는 물"(ὕδωρ ζῶν)[3]에 집중하며, 그 상징적인 의미를 고찰할 것이다. 그리고 이를 위해 물과 밀접하게 관련된 행위나 상태가 지닌 의미를 찾는 작업이 병행될 것이다. 이 작업을 통해 요한복음이 '물'의 어떤 특징을 예수 그리스도와 그가 주는 구원의 선물에 적용하는지를 발견할 수 있을 것이다.

---

1) 참조: R. SCHNACKENBURG, Person, 275.
2) 참조: R. SCHNACKENBURG, Person, 275.
3) 우리말 성경에서는 "생수"(生水)로 번역되어 있다.

II. 성경 안에 등장하는 '물'

요한복음의 "생명의 물"을 고찰하기에 앞서, 성경에서 일반적으로 언급되는 '물'에 대해 살펴보자. 물을 뜻하는 히브리어 단어는 מַיִם(마임)이며, 이 단어는 70인역(LXX)에서 대부분 ὕδωρ(휘도르)로 번역된다. 히브리어 מַיִם은 구약성경에서 약 580회 등장하며, 자연 요소로서의 실제적인 물을 가리키는 것으로부터 비유적이고 상징적인 의미에 이르기까지 폭넓게 사용된다. 성경에서 물의 언급은 그 의미와 기능에 따라 아래와 같이 크게 세 가지 측면으로 구별할 수 있다.[4]

- 자연 요소: 생명 유지를 위한 물 / 다량의 물을 뜻하는 강이나 바다
- 세정과 정화의 도구
- 하느님의 축복 또는 심판의 도구 (종말론적인 약속 안에서)

성경의 첫 부분은 하늘과 땅의 창조를 전하면서, 땅은 비어 있었고, 어둠이 심연을 덮고 있었으며, 하느님의 영이 물 위를 감돌고 있었다고 전한다(창세 1,1-2). 하느님께서는 처음부터 존재했던 이 물 한가운데 궁창을 만드시고, 궁창을 하늘이라 부르셨다(창세 1,6-7). 이어서 하느님께서는 궁창 아래의 물을 한곳으로 모으시어 땅과 바다로 나누신다(1,9-10). 이렇게 성경은 처음부터 창조주 하느님께서 물에 대한 권한을 지니신다는 것을 전한다. 하느님의 이런 모습은 시편에서도 자주 노래된다. "주님, 강물들이 높입니다, 강물들이 목소리를 높입니다, 강물들이 부딪치는 소리를 높입니다. 큰 물의 소리보다, 바다의 파도보다 엄위하십니다. 높은 데에 계시는 주님께서는 엄위하십니다."(시편 93,3-4).

강과 바다보다 높으신 하느님, 물에 대한 권한을 지니신 하느님께서는 또한 이 물을 인간의 죄와 악을 심판하고 정화하는 도구로 사용하신다. 그 대표적인 (첫 번째) 예

---

4) J. H. NAM, Wer dürstet, 12-20 참조.
   물론 성경에서 언급되는 물이 명확하게 하나의 측면에만 해당하지는 않는다. 오히려 물이 지닌 다양한 속성을 함께 활용하면서 고유한 신학적인 의미를 드러내고 있다.

"내가 주고는 물이다"(τὸ ὕδωρ ὃ δώσω, 요한 4,14)

는 노아시대의 홍수 사건이다(창세 6-8).[5] 또한 나일 강의 물을 피로 변화시키는 사건(탈출 7,14-25)이나 이스라엘을 추격하던 이집트를 갈대바다에서 바닷물로 덮치는 사건(탈출 14)도 하느님께서 이 물을 당신의 의지에 따라 구원이나 심판의 도구로 사용하실 수 있다는 것을 보여준다.

물은 빵과 더불어 인간의 생명 유지를 위한 가장 기본적인 요소이다. 성경이 물에 대한 인간의 권리를 명확하게 규정하지는 않지만, 물의 공급은 (이방인들이나 적대자들에게도 거부해서는 안 되는) 기본적인 인간의 권리로 인정된다.[6] 성경에서 종종 만날 수 있는 음식과 물에 대한 거부는 종교적인 금욕의 특별한 형태로 이해할 수 있다. "모세는 그곳에서 주님과 함께 밤낮으로 사십 일을 지내면서, 빵도 먹지 않고 물도 마시지 않았다. 그는 계약의 말씀, 곧 십계명을 판에 기록하였다."(탈출 34,28).

이스라엘은 물과 관련된 위급한 상황에서 구원의 손길이 하느님께로부터 온다는 것을 지속적으로 체험한다. 예를 들어, 이스라엘 백성은 마라에서 쓴 물을 (마실 수 있는) 단 물로 바꾸어 주시는 하느님의 능력을 경험한다(탈출 15,22-25). 이러한 경험에도 불구하고 하느님께 온전히 의지하지 않고 불평하는 이스라엘 백성에게, 하느님께서는 호렙의 바위로부터 물을 샘솟게 하시며 그들의 요구를 들어주신다(탈출 17,1-7).

물은 사람에게뿐만 아니라 동물[7]과 식물[8]의 생명 유지에도 반드시 필요하다. 식물에게 필요한 물은 주로 '비'로 표현되는데, 비는 하느님 자비의 표징, 구원의 표징으로 이해되기도 한다. 이러한 의미에서 물은 단순히 마셔야 하는 생존의 차원을 넘어서, 생명을 가능하게 하는 하느님의 보호와 축복 그리고 은총을 의미하게 된다(참조: 이사 44,3; 49,10; 58,11).

---

5) 이 사건에서 물은 심판의 도구로 사용되는 동시에, 사람들의 죄를 씻어내는 정화의 기능도 내포하고 있다.
6) 탈출 23,25; 1사무 30,11-12; 1열왕 17,10-11; 18,4.13; 22,27; 이사 3,1; 21,14; 에제 4,11-12.16 참조.
7) 예를 들면 창세 24,11-20; 30,38; 탈출 2,15-19.
8) 신명 11,11 그리고 1열왕 18,41-45에서 '비'의 중요성과 가치를 엿볼 수 있다.

삶의 유지를 위한 기본적인 자연 요소로서의 언급 외에 성경은 물이 지닌 정화의 기능에 대해서도 적지 않은 설명을 한다. 유다교 사고 안에서 사람이나 물건의 정화는 종교적인 예식과 밀접하게 관련되는데, 이는 그 당시 세속적인 영역과 종교적인 영역이 서로 교차하였다는 것을 보여준다. 구약시대의 삶에서 정화를 위한 도구로 불, 기름 또는 피 등이 사용되지만, 그중에서 가장 자주 언급되는 요소는 물이다.

물로 인한 정화는 사제나 레위인의 봉헌식이나 임직식 때에도 중요한 역할을 한다. "그들에게 속죄의 물을 뿌린 다음, 온몸을 면도칼로 밀고 옷을 빨아 입게 하여라. 그러면 그들이 정결하게 된다."(민수 8,7).[9) 그리고 아론과 그의 아들들 그리고 이스라엘의 모든 사제는 만남의 천막으로 들어갈 때, 물로 손과 발을 씻어야 한다(참조: 탈출 30,17-21).

속죄일에는 사제복을 입기 전과 후에도 사제의 몸을 씻는 행위가 요구된다(레위 16,4.24-28). 종교적인 예식의 준비를 위해서도 물이 가진 정화의 기능이 중요한 역할을 하는데, 예식에 관련된 사제의 몸뿐만 아니라 옷(제의)에도 물을 이용한 정화가 필요하다(민수 19,1-10). 이뿐만 아니라 제물로 사용되는 (내장과 다리 등과 같은) 짐승의 특정 부위 역시 물로 씻어야 한다(탈출 29,17; 레위 1,9.13; 8,21; 9,14 참조).

물을 이용한 수많은 정화의 행위, 또는 종교적 예식에서의 엄격한 규율은 단순한 위생의 목적이 아니라, 근본적으로 하느님 앞에서 그리고 거룩한 처소나 물건 앞에서 모든 이스라엘 백성이 경외와 공경심을 지니게 하는 것이 목적이다. 이스라엘 백성에게 잘못과 죄 그리고 부정은 하느님의 속성인 거룩함에 반대되는 것으로 간주되었고, 각 행위마다 구체적으로 규정되어 있는 정화예식을 통해 이 상태를 벗어날 수 있었다. 이스라엘은 이러한 정화예식을 통해 자신들이 하느님으로부터 선택받은 백성임을 항상 자각하고, 하느님의 거룩함을 닮고자 노력한 것이다.[10)

---

9) 참조: "너는 아론과 그의 아들들을 만남의 천막 어귀로 데려다 물로 씻거라."(탈출 29,4).
   참조: 탈출 40,12; 레위 8,6; 민수 8,5-22.
10) 참조: 레위 19,2.

예언서에서 물은 종말론적인 시각과 구원의 약속에 대한 기대 안에서 매우 적절한 소재로 등장한다. 종말론적인 구원을 위해 무엇보다 필요한 것은 깨끗함과 죄의 용서인데, 물이 가진 속성과 기능이 이러한 상황과 행위에 적합하기 때문이다. 예언자들이 선포하는 종말론적인 구원에 있어서, 그 출발점이 되는 장면은 창세기가 전하는 낙원의 모습이다. 즉 이스라엘 백성이 기대하는 구원의 상황은 하느님께서 창조하신 낙원(에덴)과 비슷한데, 여기에서도 물은 중요한 소재로 등장한다. 에제키엘 예언자가 묘사하는 성전의 물은 일반적인 정화의 기능을 넘어서, 풍요로운 수확을 가능하게 한다(에제 47,1-12). 에제키엘의 환시에 따르면 그 축복의 물은 성전에서 솟아 흐르며, 그 물은 강처럼 흘러 바다를 되살리고, 온갖 생물을 살아나게 한다. 이 강이 흐르는 양쪽에는 온갖 과일나무가 자라는데, 잎이 시들지 않으며 과일이 끊이지 않고 다달이 새 과일을 내놓을 것이라고 전한다(에제 47,1-12).[11]

종말론적인 구원의 시기에 흐르게 될 물은 자연 또는 생명을 위협하는 세력으로부터의 보호를 가능하게 할 뿐만 아니라, "모든 부정과 모든 우상에게서"(에제 36,25) 사람을 정결하게 하는 역할을 한다. 물은 또한 "새로운 마음과 새로운 영"과 결합되면서, 깨끗하게 씻어 새로워지는 효과가 강조된다(에제 36,25-27; 참조: 즈카 13,1-2).

구약성경에서 물은 모든 것을 정화하며, 죄를 용서하시는 야훼 하느님의 영을 상징하는 소재이다. 물과 '하느님의 영'의 상징적인 관련성은 이사 대표적으로 44,3에서 만날 수 있다(참조: 요엘 3,1-2). "내가 목마른 땅에 물을, 메마른 곳에 시냇물을 부어 주리라. 너의 후손들에게 나의 영을, 너의 새싹들에게 나의 복을 부어 주리라."(이사 44,3).

이스라엘 백성은 자신의 역사 안에서 물을 하느님의 특별한 축복이자 구원의 표징으로 체험한다. "너희가 나의 규칙들을 따르며 나의 계명들을 지키고 실천하면, 나는 제때에 비를 내려 주겠다. 그러면 땅은 소출을 내고, 들의 나무는 열매를 낼 것이다."(레위 26,3-4). 여기에서 비는 하느님께서 당신의 말씀과 계명을 따르는 이들에게

---

11) 이 내용은 성경의 가장 마지막 책인 요한묵시록의 "새 예루살렘"에 대한 환시에서도 받아들여진다(묵시 22,1-5).

주시는 축복의 상징이다(신명 28,12 참조). 반대로 이스라엘은 자신의 잘못과 불충실로 인해 오랫동안 비가 내리지 않는 시간을 경험하기도 한다. "너희는 정녕 잎이 시든 향엽나무처럼 되고 물이 없는 정원처럼 되리라."(이사 1,30).

이렇게 물이라는 요소는 (하느님께 대한 이스라엘의 순종에 따라) 축복과 생명이 되기도 하며, 반대로 생명을 위협하는 벌과 심판이 되기도 한다. 하느님의 선택을 받은 이스라엘은 하느님께서 모든 피조물의 유일한 주님이시며, 그 피조물인 자연의 작용과 변화가 하느님에 대한 자신의 태도와 관련된다는 것을 지속적인 경험을 통해 자각하게 된다.

지금까지 구약성경에서 언급되는 물과 그 내용에 대해서 살펴보았다. 창세기를 시작으로, 이스라엘의 이집트 탈출 그리고 예언자들의 종말론적인 예언에 이르기까지 물은 갈증을 해소하며, 생명을 가능하게 하고, 깨끗함을 선사하는 기능을 지닌다. 이러한 내용은 신약성경 안에서도 비슷하게 등장한다.[12] 신약성경에서 '물'을 의미하는 그리스어 ὕδωρ는 모두 76번 발견된다. 그중에서 소위 요한계 문헌이라 불리는 요한복음에서 21번, 요한의 첫째 편지에서 4번, 요한묵시록에서 18번이 사용된다. 요한계 문헌에서만 신약성경 전체의 반 이상인 43번이 사용되었다는 것은 요한계 문헌이 물이라는 소재와 그 의미를 중요하게 생각한다는 것을 단적으로 보여준다. 신약성경에서 물의 표상은 기본적으로 구약성경의 전통 안에 머물러 있지만, 요한복음은 구약성경의 사고로부터 더 나아가, 물이 지닌 특징을 새롭게 부각시키며 고유하고 독창적인 신학으로 발전시킨다.[13] 본고의 주제인 '물', 그 중에서도 형용사 '살아있는'과 결합된 "생명의 물" 또는 "살아있는 물"(ὕδωρ ζῶν)이라는 표현은 요한 4,10과 7,38에서 만날 수 있다.[14]

---

12) 물에 대한 신약성경의 언급과 내용 역시 기본적으로 구약성경의 전통 안에 머물러 있기 때문에, 본고에서는 구체적인 언급을 생략한다.

13) 참조: W. FENEBERG, ὕδωρ, 910.

14) 본고에서는 요한 6장의 "생명의 빵"과의 관련성 안에서, 요한복음의 가장 중요한 구원 개념인 "생명"을 부각시켜, "살아있는 물" 또는 "생수"라는 표현 대신, "생명의 물"로 통일하여 사용한다.

III. 야곱의 우물에서 "생명의 물": 요한 4,5-15

"생명의 물"(ὕδωρ ζῶν)이라는 주제 안에서 소개해야 할 첫 번째 본문은 예수와 사마리아 여인의 만남을 전하는 요한 4,1-42이다. 성서신학적인 관점에서 이 단락은 예수 그리스도라는 인물과 예수가 주는 구원의 선물을 상징과 은유 안에서 매력적으로 표현하는 본문으로 평가받는다. 이 단락은 만남의 대상에 따라 크게 세 부분으로 나눌 수 있다.

4,7-26	예수와 사마리아 여인
4,31-38	예수와 제자들
4,39-42	예수와 사마리아인들(시카르)

야곱의 우물에서 이루어지는 예수와 사마리아 여인의 우연한 만남을 소개하는 첫 장면(4,7-26)은 다양한 주제를 포함한다. 그 주제는 '생명의 물'(4,7-15), '사마리아 여인의 비구원적 상황'(4,16-19), '진실한 예배'(4,20-24) 그리고 '그리스도'(4,25-26) 등이다. 가장 먼저 등장하는 "생명의 물"은 예수로부터 주어지는 하느님의 선물로 명백하게 표현된다. 그리고 이 생명의 물은 예수라는 인물과 예수의 자기계시를 은유적으로 표현하며, 이 물이 사마리아 여인에게 어떻게 작용하는지를 단계적으로 보여준다.

본고의 본문으로 생명의 물의 이해를 위한 중요한 설정인 지리적 배경('야곱의 우물')과 예수의 상황('지치신 예수')을 전하는 4,5-6을 포함시켜 한정한다.

4,5	그렇게 하여 예수께서는 야곱이 자기 아들 요셉에게 준 땅에서 가까운 시카르라는 사마리아의 한 고을에 이르셨다.
6	그곳에는 야곱의 우물이 있었다. 길을 걷느라 지치신 예수께서는 그 우물가에 앉으셨다. 때는 정오 무렵이었다.
7	마침 사마리아 여자 하나가 물을 길으러 왔다. 그러자 예수께서 그 여자에게 말씀하셨다. "나에게 마실 것을 좀 다오."(δός μοι πεῖν·)
8	제자들은 먹을 것을 사러 고을에 가 있었다.

9 　사마리아 여자가 예수께 말하였다.
　　　"선생님은 어떻게 유다 사람이시면서 사마리아 여자인 저에게
　　　마실 물을 청하십니까?"
　　　사실 유다인들은 사마리아인들과 상종하지 않았다.

10 　예수께서 그 여자에게 대답하셨다.
　　　"네가 하느님의 선물을 알고
　　　'나에게 마실 물을 좀 다오.' 하고 너에게 말하는 이가 누구인지 알았더라면,
　　　오히려 네가 그에게 청하고
　　　그는 너에게 생명의 물($\ddot{\upsilon}\delta\omega\rho\ \zeta\tilde{\omega}\nu$)을 주었을 것이다."

11 　그러자 그 여자가 예수께 말하였다.
　　　"선생님, 두레박도 가지고 계시지 않고 우물도 깊은데,
　　　어디에서 그 생명의 물을 마련하시렵니까?($\pi\acute{o}\theta\epsilon\nu\ o\tilde{\upsilon}\nu\ \check{\epsilon}\chi\epsilon\iota\varsigma\ \tau\grave{o}\ \ddot{\upsilon}\delta\omega\rho\ \tau\grave{o}\ \zeta\tilde{\omega}\nu;$)

12 　선생님이 저희 조상 야곱보다 더 훌륭한 분이시라는 말씀입니까?
　　　그분께서 저희에게 이 우물을 주었습니다.
　　　그분은 물론 그분의 자녀들과 가축들도 이 우물물을 마셨습니다."

13 　예수께서 그 여자에게 이르셨다.
　　　"이 물을 마시는 자는 누구나 다시 목마를 것이다

14 　그러나 내가 주는 물을 마시는 사람은 영원히 목마르지 않을 것이다.
　　　내가 주는 물은 그 사람 안에서 물이 솟는 샘이 되어
　　　영원한 생명을 누리게 할 것이다."

15 　그러자 그 여자가 예수께 말하였다.
　　　"선생님, 그 물을 저에게 주십시오.
　　　그러면 제가 목마르지도 않고,
　　　또 물을 길으러 이리 나오지 않아도 되겠습니다."

　　지형적이고 역사적인 사실을 신뢰 있게 전달한(4,3-6)[15] 복음사가가 준비한 구체적인 무대는 '야곱의 우물'($\pi\eta\gamma\grave{\eta}\ \tau o\tilde{\upsilon}\ \Iota\alpha\kappa\acute{\omega}\beta$)이다.[16] 그리짐으로 가는 길목에 위치하고 있는 이 우물은 그 깊이가 약 20m정도이며, 오늘날에도 원천에서 솟는 물이 차 있다고 한다.[17] 예수와 사마리아 여인의 대화는 "예수의 지침"과 "정오 무렵"(4,6)이라는 일반적이지 않은, 그러나 필연적인 상황으로부터 시작한다. 이 상황은 생명의 물을 이해

---

15) 참조: 창세 33,18-20; 여호 24,32.

16) 야곱의 우물은 현재 아스카르($A\sigma\kappa\alpha\rho$)라고 불리는 동네인 시카르($\Sigma\upsilon\chi\acute{\alpha}\rho$)로부터 1km정도 떨어져 있다.

17) 복음사가 요한은 자신의 복음 다른 곳에서도 구체적인 지리적 또는 지형적 정보를 제공한다. 예를 들면 카파르나움의 회당(6,59), 예루살렘의 벳짜타 연못(5,2.4.7), 예루살렘의 실로암 연못(9,7.11), 성전 안의 솔로몬 주랑(10,23) 등에 대한 언급이 그러하다.

하기 위한 필수적인 배경이다.[18] "나에게 마실 것을 달라."(δός μοι πεῖν, 4,7)는 예수의 청으로 이 만남이 시작된다. 예수는 처음에 '주는 자'가 아니라, '청하는 자'로서 자신을 드러내지만, 이 만남을 통해 결국 사마리아 여인이 예수에게 생명의 물을 청하게 된다(4,15).

예수를 향한 사마리아 여인의 첫 번째 질문(4,9)은 민족 또는 종교적 관습을 뛰어넘는 예수의 태도에 대한 놀라움을 표현한다.[19] 그리고 예수의 첫 번째 대답과 계속되는 대화에서 독자들은 예수가 사마리아 여인의 질문과 관심사에 대답하는 모습을 발견할 수 있다.[20]

이어지는 예수의 대답에서 "생명의 물"의 의미와 그 효과가 본격적으로 드러난다. 조건문(εἰ - ἄν)으로 시작하는 4,10은 사마리아 여인에게 하나의 제안일 뿐만 아니라, 예수의 계시말씀을 깨달아야 한다는 권고로 이해할 수 있다.[21]

> 4,10 예수님께서 그 여자에게 대답하셨다.
> "네가 하느님의 선물(ἡ δωρεὰ τοῦ θεοῦ)을 알고
> '나에게 마실 물을 좀 다오.'하고
> 너에게 말하는 이가 누구인지(τίς ἐστιν ὁ λέγων σοι) 알았더라면,
> 오히려 네가 그에게 청하고
> 그는 너에게 "생명의 물"(ὕδωρ ζῶν)을 주었을 것이다."

"생명의 물"이 처음 언급되는 이 문장은 '하느님의 선물'(ἡ δωρεὰ τοῦ θεοῦ)과 '예수라는 인물'(τίς ἐστιν ὁ λέγων σοι)을 아는(οἶδα) 것이 얼마나 중요한지를 시사한다. "살

---

18) J. H. NAM, Wer dürstet, 65.
19) 복음사가에 의한 4,9의 추가 설명은 바빌론 유배시기 이후부터 오랫동안 지속된 그리고 유다의 통치자 요한 히르카누스(Johannes Hyrkanus)에 의한 사마리아인들의 성전(그리짐 산) 파괴(BC 128년)로부터 심화된 유다인들과 사마리아인들과의 대립과 긴장관계를 표현한다.
20) 예수와 사마리아인의 대화에서 예수의 가르침이나 선포가 우선적으로 이루어지는 것이 아니라, 사마리아 여인의 질문과 관심사에 대한 예수의 답변과 설명으로 대화가 진행되고 있다는 점이 흥미롭다.
21) J. H. NAM, Wer dürstet, 83.

아있는"(분사형) 물이라는 표현은 예수께서 주시는 구원의 선물이 근본적으로 '생명'과 관련되어 있다는 것을 분명하게 시사한다. 이러한 관련성은 6,51에서도 만날 수 있다.

사마리아 여인의 두 번째 질문(4,11-12)은 그녀가 예수의 계시말씀을 아직 이해하지 못하고 있음을 보여준다. 사마리아 여인은 예수가 제안하는 생명의 물을 자연 요소로, 즉 우물의 물과 같은 의미로 오해하고 있다. 그러나 사마리아 여인의 두 질문이 예수의 '선물'과 예수라는 '인물'에 관련됨으로써, 그녀가 이미 예수의 '정체'와 '구원의 선물'로 초대되고 있다고 평가할 수 있다.

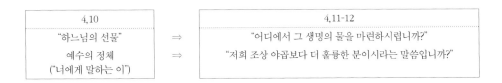

4,10		4,11-12
"하느님의 선물"	⇒	"어디에서 그 생명의 물을 마련하시럽니까?"
예수의 정체 ("너에게 말하는 이")	⇒	"저희 조상 야곱보다 더 훌륭한 분이시라는 말씀입니까?"

사마리아 여인의 질문에 대한 답은 앞선 예수의 말씀(4,10)에서 찾을 수 있다. 즉 "어디에서"라는 질문이 요구하는 생명의 물의 출처는 하느님이며,[22] "야곱보다 더 훌륭하신 분"이라는 질문은 예수의 신원과 정체에 관련된다. 야곱은 다시 목마를 지상의 샘물(야곱의 우물)을 주었지만, 예수는 영원히 목마르지 않을 생명의 물을 주시는 분으로, 야곱과는 비교할 수 없는 인물이다.

생명의 물이 선물 및 선물을 주는 자와 밀접한 관계 안에 있다는 점을 고려할 때, 생명의 물이 무엇인지를 아는 것은 생명의 물을 주는 자가 누구인지를 깨닫는 것과 직접 관련된다.[23] 선물을 주는 자에 대한 질문(τίς ἐστιν)은 사마리아 단락 전체에서 하나의 방향을 제시한다. 즉 현재 사마리아 여인 앞에 존재하는 이 인물을 객체에서 주체로 그리고 물이라는 소재에서 인물로 관심을 전환시킨다. 인물 예수가 이 질문(τίς ἐστιν)의 답을 찾기 위한 열쇠이며, 사마리아 여인은 생명의 물을 주는 자가 누구

22) 구약성경에서 "생명의 물"의 원천은 명확하게 하느님으로 제시된다(참조: 예레 2,13; 17,13; 시편 36,10).
23) J. H. NAM, Wer dürstet, 81; L. Schmid, Komposition, 150.

"내가 주는 물이다"(τὸ ὕδωρ ὃ δώσω, 요한 4,14)

인지를 (예수의 자기계시를 통해) 단계적으로 깨닫게 될 것이다.[24] 예수의 정체에 대한 질문은 요한복음 전체를 관통하는 주제이며, 이 질문에 대한 답은 오직 예수의 계시, 즉 예수의 말씀과 행적을 통해서 찾을 수 있다.[25]

하느님의 선물로 특징지어지는 생명의 물은 본질적으로 예수라는 인물과 예수 계시를 위한 상징이다. 이러한 관점에서 생명의 물은 생명의 물을 주는 자와 동일시되며, 예수의 자기계시의 내용이 되는 것이다. 바로 예수가 생명의 물이기 때문이다.[26]

"생명의 물"의 속성과 효과는 4,13-14에서 두 가지 물의 대조를 통해서 분명하게 드러난다. 야곱의 우물과 같은 '지상의 물'과 예수께서 주시는 '생명의 물'은 먼저 물의 효과를 나타내는 '목마름'의 지속성으로 명확하게 구별된다. 일시적인 목마름을 해소하는 지상의 물과는 다르게, 예수께서 주시는 생명의 물은 영원히 목마르지 않는 지속성을 지닌다.

4,13: 야곱의 우물	4,14: "생명의 물"
이 물을 마시는 사람은 → 다시(πάλιν) 목마를 것이다.	내가 주는 물을 마시는 사람은 → 영원히(εἰς τὸν αἰῶνα) 목마르지 않을 것이다.
	내가 주는 그 물은 → 그 사람 안에서 샘(πηγή)이 된다. → 그 물은 영원한 생명으로(εἰς ζωὴν αἰώνιον) 샘솟는다.

요한 4,14에서 요한복음의 핵심 구원개념인 "영원한 생명"(ζωὴ αἰώνιος)이 등장한다. 예수께서 주시는 생명의 물은 목마름을 지속적으로 해소하는 기능만을 지닌 것이 아니라, 그 본질적인 특성에 따르면 궁극적 목표인 영원한 생명, 즉 구원을 가능하게 하는 샘(πηγή)이다.[27]

이렇게 생명의 물이 죽음을 극복하는 영원한 생명을 묘사한다면, 목마름의 해소를 위한 필수조건인 '마시는'(πίνω) 행위는 예수와 예수 계시를 받아들이고 믿는 것을

---

24) J. H. NAM, Wer dürstet, 85.
25) J. H. NAM, Wer dürstet, 88.
26) J. H. NAM, Wer dürstet, 131.
27) J. H. NAM, Wer dürstet, 96.

의미한다.[28] 선물을 주는 자 없이는 선물도 존재할 수 없듯이, 영원히 목마르지 않고 영원한 생명을 가능하게 하는 하느님의 선물은 물의 표상으로 계시되는 예수라는 인물에게 달려있다.

동사 '목마르다'(διψάω)는 이 단락에서, 특별히 4,13-15에서 3번 등장한다.[29] 성경에서 이 단어는 일차적으로 육체적인 목마름을 뜻하고, 상징적으로는 정신적인 또는 영혼의 갈증, 예를 들면 의로움에 대한 목마름(마태 5,6 참조), 지혜에 대한 목마름(집회 51,24-25 참조), 하느님의 말씀에 대한 그리움(아모 8,11 참조) 등을 의미한다.[30] 더 나아가 '목마름'은 (특별히 시편에서) 하느님에 대한 인간의 강한 그리움을 상징한다(시편 42,2-3; 63,2; 107,5.9; 143,6). "암사슴이 시냇물을 그리워하듯 하느님, 제 영혼이 당신을 이토록 그리워합니다. 제 영혼이 하느님을, 제 생명의 하느님을 목말라합니다."(시편 42,2-3). "하느님, 당신은 저의 하느님, 저는 당신을 찾습니다. 제 영혼이 당신을 목말라합니다. 물기 없이 마르고 메마른 땅에서 이 몸이 당신을 애타게 그립니다."(시편 63,1). 시편의 저자들은 목마름이라는 은유를 통해 특정한 신학적 진리를 표현하려는 것이 아니라, 개인적인 곤경과 어려움으로부터 유일하게 도움과 구원을 주실 수 있는 살아있는 하느님에 대한 그리움을 기도한 것이다.[31]

구약성경과의 이런 연계성 안에서 신약의 예수 그리스도는 '영원히 목마르지 않음'을 선물로 약속하신다. 이 연계성 안에서 생명의 물은 구약성경의 메시아적 구원 약속의 실현이며, 동시에 지금 여기에서 현실화되고 있는 예수 그리스도의 신비로 이끄는 역할을 한다.[32]

이어지는 사마리아 여인과 예수의 대화는 이 여인이 가진 목마름을 구체적으로

---

28) J. H. NAM, Wer dürstet, 97; 참조: J.-M. SCHRÖDER, Israel, 172.

29) 신약성경 전체에서 διψάω는 16번 만날 수 있다. 그중 요한복음에서만 6번 등장한다. 목마름의 은유에 대해서는 J. H. NAM, Wer dürstet, 77-82 참조.

30) J. H. NAM, Wer dürstet, 78.

31) 참조: L. RUPPERT, Dürsten, 245.

32) 참조: J. H. NAM, Wer dürstet, 81.

암시하며, 더 나아가 그녀가 생명의 물을 통해 어떻게 변화되는지, 어떻게 예수 그리스도의 신비로 이끌리는지를 분명하게 보여준다.

예수는 메시아로서 사마리아 여인의 개인적인 상황을 잘 알고 계시며(4,16-18), 따라서 그녀의 목마름을 누구보다 잘 인지하시는 분으로 드러난다.[33] 이는 사마리아 여인으로 하여금 첫 번째 고백("예언자")을 유도한다(4,19). 계속되는 대화에서 사마리아 여인의 관심사는 더 이상 자신의 개인적인 상황이 아니라, 진정한 예배의 장소가 어디인가라는 종교적이고 민족적인 목마름에 해당한다(4,20-24). 예배 장소를 지리적으로 한정시켰던 당시의 사고를 뛰어넘는 예수의 대답은, 그리짐 산도 아니고 예루살렘도 아닌 "영과 진리 안에서"(4,23.24) 예배를 드리는 이들을 아버지 하느님께서 "찾으신다"(ζητέω)는 것이다. 이렇게 예수께서 선사하시는 생명의 물은 사마리아 여인의 개인적인 목마름은 물론, 사마리아 민족의 목마름을 '영원히 목마르지 않음'으로 바꿀 것이다.

사마리아 여인은 이미 생명의 물을 통해 예수라는 인물의 신비와 예수가 주는 구원의 선물, 즉 영원한 생명으로 나아가고 있다.[34] 사마리아 여인은 자신이 얻은 경험과 믿음을 바탕으로 "물동이를 두고"(4,28) 마을에 달려가 예수를 증거한다(μαρτυρέω 4,40).[35] 그리고 그녀의 증거는 사마리아 사람들이 예수를 믿고, "세상의 구원자"(4,42)로 고백하게 하는 결실을 맺는다.

---

33) 요한 4,16-19은 요한복음의 특징적인 그리스도상(像), 즉 예수가 사람은 물론 사람의 마음까지 완전하게 알고 있음을 전한다. 이러한 예수의 능력은 요한 1,47-48에서 나타나엘을 통해서도 드러나며, 2,24-25에서도 언급된다.

34) "생명의 물"을 통한 사마리아 여인의 변화는 예수에 대한 호칭의 변화에서도 짐작할 수 있다. 자신에게 물을 청하는 예수를 단순하게 "유다 사람"(4,9)으로 바라보았던 사마리아 여인은 점차 "예언자"(4,19), "그리스도"(4,25.29)로 그리고 마지막에는 자신의 마을사람들로 하여금 예수에게 구원의 보편적인 의미가 강조된 "세상의 구원자"(4,42)라고 고백하게 한다. 이 견해에 대해서는 E. HAENCHEN, Joh 245; Y. IBUKI, Wahrheit, 319; J. H. NAM, Wer dürstet, 110; S. SCHAPDICK, Weg, 345-346; R. SCHNACKENBURG, Joh I, 456; U. SCHNELLE, Joh, 91; J.-M. SCHRÖDER, Israel, 161-162; R. ZIMMERMANN, Christologie, 146-147 참조.

35) 요한 4,39의 동사 '증거하다'(μαρτυρέω)는 세례자 요한의 활동을 전형적으로 드러내며(1,7-8.15; 1,32-34), 동시에 제자들의 미래의 활동을 특징짓는 중요한 개념이다(15,26-27).

IV. "생명의 빵": 요한 6,35

빵과 물고기의 기적으로 시작하는 요한 6장은 "생명의 빵"이라는 주제를 소개한다. 여기에서 '물'은 언급되지 않지만, 요한 4장에서 만났던 '목마름' 또는 '목마르지 않음'이라는 중요한 개념이 등장한다.

요한 4장에서 조상 야곱이 준 우물의 물과 예수께서 주시는 생명의 물이 비교되듯이, 요한 6장에서도 광야에서의 만나와 "하늘에서 내려온 빵" 또는 "생명의 빵"이 대조를 이룬다. 생명의 빵에 관한 진술 역시 이렇게 일상의 소재로부터 출발하여 심오한 신학적인 진술을 끌어내는 가운데, 예수의 자기 계시와 약속된 구원의 선물을 상징적이고 은유적인 차원에서 소개한다.

목마름이 언급되는 요한 6,35은 예수의 장엄한 자기 계시 말씀('Εγώ εἰμι)이다. 여기에서도 예수는 선물이면서 동시에 선물을 주는 자이다. 신적인 선물과 이 선물을 주는 신적인 존재는 구체적인 한 인물, 즉 예수 안에서 일치되는 실재이며, 하나의 신비이다. 이 신비는 말씀과 행적 안에서 예수의 본질과 능력을 계시하며, 믿는 이들을 예수에게로 그리고 구원으로 이끄는 역할을 한다.[36]

> 6,35   예수님께서 그들에게 이르셨다.
> "나는 생명의 빵(ὁ' ἄρτος τῆς ζωῆς)이다.
> 나에게 오는 사람은 결코 배고프지 않을 것이며,
> 나를 믿는 사람은 결코 목마르지 않을 것이다(οὐ μὴ διψήσει πώποτε)."

요한 6장의 생명의 빵에 대한 진술은 자연스럽게 요한 4장의 생명의 물을 떠올리게 한다. 그 이유는 무엇보다 생명의 빵과 생명의 물의 효과로 '영원히 목마르지 않음'(οὐ μὴ διψήσει εἰς τὸν αἰῶνα,) 또는 '결코 목마르지 않음'(οὐ μὴ διψήσει πώποτε)이 공통적으로 약속되기 때문이다. 그리고 여기에서 생명의 물을 '마시는'(πίνω) 행위가 무엇을 의미하는지도 명확해진다.

---

36) 참조: J. H. NAM, Wer dürstet, 164.

(side) "내가 주는 물이나"(τὸ ὕδωρ ὃ δώσω, 요한 4,14)

4,14	내가 주는 물을 마시는 사람은	영원히 목마르지 않을 것이다.
6,35	나에게 오는 사람은	결코 배고프지 않을 것이다
	나를 믿는 사람은	결코 목마르지 않을 것이다

요한 4,10과 6,35에서 결과로 제시되는 '목마르지 않다'라는 표현이 같으므로, '마시다'와 '믿다'는 같은 의미를 지니는 것으로 볼 수 있다. 그리고 6,35의 '결코 배고프지 않다'와 '결코 목마르지 않다'는 구원을 상징하므로, 그 조건으로 제시된 (생명의 물을) '마시다', (예수에게) '가다' 그리고 (예수를) '믿다'는 모두 같은 행위를 가리키는 다른 표현으로 이해할 수 있다. 결국 예수에 대한 믿음이 결코 배고프지 않고, 결코 목마르지 않기 위한 필수조건(conditio sine qua non)인 것이다.

요한 4,14의 생명의 물 그리고 6,27의 생명의 빵과 관련된 예수의 말씀을 비교하면, (바로 위에서 언급했듯이) 조건으로 제시된 행위뿐만 아니라, 결국 생명의 빵과 생명의 물 역시 동일한 대상을 상징하는 다른 표현으로 확신할 수 있다. 생명의 빵은 생명의 물과 마찬가지로 하느님의 선물로서(6,32 참조), "하늘에서 내려와 세상에 생명을 주는 빵", 곧 하느님께서 보내신(6,29) 예수 그리스도이다. 그리고 생명의 빵인 예수에 대한 믿음은 결코 배고프지 않음과 결코 목마르지 않음을 가능하게 한다.

4,14	내가 <u>주는</u>(δώσω) 물을 마시는 사람은 영원히 목마르지 않을 것이다. 내가 <u>주는</u>(δώσω) 물은 그 사람 안에서 물이 솟는 샘이 되어 <u>영원한 생명을</u>(εἰς ζωὴν αἰώνιον) 누리게 할 것이다.
6,27	너희는 썩어 없어질 양식을 얻으려고 힘쓰지 말고, 길이 남아 <u>영원한 생명을</u>(εἰς ζωὴν αἰώνιον) 누리게 하는 양식을 얻으려고 힘써라. 그 양식은 사람의 아들이 너희에게 <u>줄</u>(δώσει) 것이다. [...]"

요한 4,14과 6,27에서 사용된 '주다'(δίδωμι)라는 단어는 모두 미래형으로 사용되었는데, 이 미래는 예수의 영광의 시간을 가리킨다. 그러나 요한복음의 신학에서, 영원한 생명으로 '샘솟고'(ἄλλομαι), '머문다'(μένω)는 표현은 지속적인 의미를 지니며, 예수를 경험하고 예수를 믿는 현재에 이미 영원한 생명의 실재를 맛볼 수 있고, 예수의 영광과 함께 생명의 충만함을 얻을 수 있는 것으로 이해할 수 있다. 생명의 물 또는 생명의 빵이신 예수를 만나고, 예수의 자기 계시가 이루어지는 '지금 여기에서' 영원

한 생명의 실재가 시작되는 것이다.

V. 초막절 축제에서 "생명의 물": 요한 7,37-39

생명의 물(ὕδωρ ζῶν)과 목마름(διψάω)이라는 주제는 요한복음에서 다시 한번 결합하여 등장한다. 초막절[37] 축제 안에서 예수께서는 장엄한 자기 계시를 통해 자신을 생명의 물의 원천으로 드러내시며, 목마른 이들을 당신에게로 초대하신다. 이 초대는 동시에 구원에 대한 약속이다.[38]

요한 4장에서 예수라는 인물과 예수의 자기 계시 안에서 주어지는 생명의 물은 영원한 생명을 가능하게 하는 하느님의 선물을 상징했다. 그리고 이 선물은 사마리아 여인뿐만 아니라 모든 사마리아인들에게 약속되었다. 요한 7장은 이러한 이해에서 더 나아가 목마른 사람에게 약속되는 "생명의 물의 강들"(ποταμοὶ ὕδατος ζῶντος)을 선포한다. 그리고 이 과정에서 영원한 생명을 가능하게 하는 하느님의 선물은 "성령"(πνεῦμα)과의 관련성 안에서 새롭게 이해된다.

7,37	마지막 날, 축제의 가장 중요한 날에 예수님께서는 일어서시어 큰 소리로 말씀하셨다. "목마른 사람은 다 나에게 와서 마셔라.
38	나를 믿는 사람은 성경 말씀대로: '그의 안에서부터 생명의 물의 강들(ποταμοὶ ὕδατος ζῶντος)이 흘러나올 것이다.'"
39	이는 당신을 믿는 이들이 받게 될 성령(πνεῦμα)을 가리켜 하신 말씀이었다. 예수님께서 영광스럽게(δοξάζω) 되지 않으셨기 때문에, 성령께서 아직 계시지 않았던 것이다.

---

37) 초막절을 의미하는 그리스어 σκηνοπηγία는 신약성경에서 오직 요한 7,2에서만 등장한다. 구약성경에서 초막절 축제의 언급은 레위 23,33-44; 민수 29,12-39; 2역대 7,8-10; 느헤 8,1-18에서 찾을 수 있다.

38) 요한 4,10.13-14에서 사마리아 여인에게 약속되었던 생명의 물과 영원히 목마르지 않음이 이제 모든(!) 사람에게 공적으로 선포된다.

요한 7,37-39은 시간적, 공간적 배경을 통해 특별한 분위기를 조성한다. 초막절 마지막 날, 많은 사람이 모여 있는 초막절의 가장 중요한 날 그리고 종교적 권위의 중심인 예루살렘 성전에서 이루어지는 축제 분위기의 한 가운데에 예수라는 인물이 존재한다.

예수의 계시 말씀에 대한 올바른 이해를 위해서는 초막절 축제에서 행해지던 '물의 예식'을 그 배경으로 파악해야 한다. 축제기간 동안 매일 아침 진행되는 '물의 예식'에서는 사제들 중에 한 명이 실로암 못의 원천(기혼 샘)으로부터 흘러나오는 물을 금으로 된 그릇에 담아 백성들과 함께 뿔 나팔을 불고 행렬하며 성전으로 들어간다.[39] 제단에 도착하면 물을 운반하는 사제는 제단 주변을 한 바퀴 돌고, 축제의 일곱째 날에는 일곱 바퀴를 장엄하게 돈다.[40] 이때 백성들은 이사야 예언자의 말을 기억했을 것이다. "너희는 기뻐하며 구원의 샘에서 물을 길으리라."(이사 12,3). 그리고 장엄하게 운반된 물은 바로 제물로 봉헌되었다.[41] 일반적으로 초막절 축제는 우기가 시작되는 시기이기 때문에, 이 '물의 예식'은 다음 해의 풍요로운 수확을 위한 비의 축복에 대한 청원이며, (이루어질 청원에 대한) 감사의 예식으로 이해되었을 것이다(참조: 즈카 14,16-18).[42] 이러한 축제의 배경을 전제로 예수는 자신만이 선사할 수 있는 풍요로운 구원의 선물을 약속하시며, 자신을 '물의 예식'을 대신하는 구원의 샘으로 계시하시는 것이다.

요한 7,37-38에서 생명의 물(ὕδωρ ζῶν)을 마시기 위한 조건으로 제시되는 '오다'(ἔρχομαι)와 '믿다'(πιστεύω)는 6,35에서도 하나의 짝을 이루며 언급되었다.[43]

7,37-38	6,35
목마른 사람은 나에게 와라 그리고 마셔라. 나를 믿는 사람은 […]	나에게 오는 사람은 결코 배고프지 않을 것이며, 나를 믿는 사람은 결코 목마르지 않을 것이다
ἐάν τις διψᾷ ἐρχέσθω πρός με καὶ πινέτω. ὁ πιστεύων εἰς ἐμέ, […]	ὁ ἐρχόμενος πρὸς ἐμὲ οὐ μὴ πεινάσῃ, καὶ ὁ πιστεύων εἰς ἐμὲ οὐ μὴ διψήσει πώποτε.

---

39) H. L. STRACK / P. BILLERBECK, Bill. II, 799.

40) 참조: R. SCHNACKENBURG, Joh II, 210; H. L. STRACK / P. BILLERBECK, Bill. II, 491.

41) H. L. STRACK / P. BILLERBECK, Bill. II, 799.

42) H. L. STRACK / P. BILLERBECK, Bill. II, 800.

43) J. H. NAM, Wer dürstet, 189.

'오다'(ἔρχομαι)와 '믿다'(πιστεύω)는 7,37-38 안에서 '마시다'(πίνω)라는 행위에 관련된다. 결국, 예수에게 가고, 예수를 믿고, 생명의 물을 마시는 행위는 모두 영원한 생명을 위한 필수조건이다. 예수를 향하는 것은 (요한복음의 언어에서) 예수를 받아들이는 개방과 믿음을 위한 준비를 뜻한다. 예수에게 가고, 예수를 믿는 행위는 예수에 의해 선포된 궁극적인 약속, 즉 영원한 생명을 얻기 위한 기본 조건이다. [44]

목마른 자들에 대한 초대로서 '오다', '믿다' 그리고 '마시다'는 생명의 물의 수용뿐만 아니라, 예수가 하느님으로부터 파견된(참조: 4,10.34; 6,29.38.39) 권위 있는 메시아(4,26), 세상의 구원자(4,42), 하느님의 아들(6,40), 하늘로부터 내려온 생명의 빵(6,27.32-35.48.50-51), 생명의 물의 원천(7,38)이라는 깨달음을 포함한다. 예수에게 가고, 예수를 믿고, 생명의 물을 마시는 자는 예수 안에 내재된 하느님의 신비를 깨닫고, 이를 통해 진정한 생명의 충만을 누리게 될 것이다. [45]

생명의 물은 복음사가의 진술(7,39)에 의해 명백하게 "성령"(πνεῦμα)과 동일시된다. 예수와 사마리아 여인의 대화 안에서 생명의 물(4,10-15)이 무엇을 가리키는지는 명확하게 드러나지 않았으며, 특히 성령과의 관계는 간접적으로도 시사되지 않았다(참조: 4,21-24). 사마리아 단락에서 생명의 물은 예수 안에서 그리고 예수의 계시 말씀 안에서 주어지는 영원한 생명의 현재화에 대한 표현으로 이해되었다. 이제 초막절 축제에서 생명의 물은 성령과의 직접적인 관련성 안에서 새롭고 심오한 의미를 지니게 된다. [46]

요한 7,38에서 흥미로운 점은 생명의 물이 힘차고 강력함을 뜻하는 '강'(복수형: ποταμοί 7,38)에 비유된다는 것이다. 그리고 이 약속은 예수에 의해 마치 예언자의 외침과 같이 선포된다. 복수형으로 표현된 강은 생명의 물(4,10과 같은 표현!)이 풍요로움

---

44) J. H. NAM, Wer dürstet, 189-190.

45) J. H. NAM, Wer dürstet, 189-190.

46) 참고로 요한복음에서 물과 관련된 성령의 실재와 경험을 다음과 같이 간략하게 정리할 수 있다. 첫째, 물로 인한 세례, 즉 물에 잠기는 행위(참조: βαπτίζω)는 성령의 영역에 잠기는 것을 상징하고(1,26.33), 동시에 성령으로 다시 태어남을 의미한다(3,5). 둘째, 생명의 물은 사람의 내면 안에 있는 목마름과 하느님에 대한 그리움을 해소하는 성령의 선물을 상징한다.

" 내가 주는 물은"(τὸ ὕδωρ ὃ δώσω, 요한 4,14)

으로 주어진다는 것을 시사한다.[47]

요한복음은 생명의 물 또는 성령의 부여와 관련하여 시간적인 조건을 제시한다. 예수로부터 '흐르게'(7,38 - 미래형) 될 "생명의 물의 강들"(ποταμοὶ ὕδατος ζῶντος)은 예수의 '영광'(참조: δοξάζω) 후에, 곧 예수의 십자가 죽음을 통해서 주어질(δώσω 4,14 - 미래형) 것이다. 예수의 초대와 계시는 예수의 십자가 죽음에서 절정에 이른다. 십자가 죽음에 처해진 예수로부터 "피와 물"이 흘러나온다(19,34). 또한 부활하신 그리스도는 제자들에게 성령을 부여하신다(참조: 요한 20,22). 이렇게 예수의 영광 안에서, 예수의 십자가 죽음을 통해서 생명의 물과 성령은 믿는 이들에게 영원한 생명을 가능하게 한다. 들어 올려진 예수, 영광스럽게 된 예수는 성령을 선사하는 자이며, 생명의 물의 샘이고 동시에 생명의 물의 강이 흘러나오는 원천이다.

맺음말

요한복음은 예수라는 인물의 정체를 그리고 예수를 통해서 가시화되는 구원의 선물을 표현하기 위해 일상의 다양한 소재를 활용한다. 그 과정에서 요한복음은 상징과 은유의 방법으로 일상의 소재에 고유한 신학적인 의미를 부여하며, 일상적인 차원의 언어이해에서 계시신학적인 언어이해로 발전시킨다.[48]

본고에서는 다양한 소재 중에서 요한 4장과 7장에서 언급되는 "생명의 물"(ὕδωρ ζῶν)을 통해 예수의 정체와 자기 계시 안에서 선포되는 구원의 선물에 대해 고찰하였다. 요한복음의 언어 안에서 '물', '목마름', '마시다' 등은 모두 예수를 통해서 주어지는 영원한 생명을 설명하기 위한 표상이다. 예수는 스스로를 하느님의 선물, 즉 생명의 물이면서 동시에 생명의 물을 선사하는 자로 계시하신다.

---

47) 풍요로움으로 주어지는 성령에 대한 표현은 요한복음의 다른 곳에서도 만날 수 있다. "하느님께서는 한량없이 성령을 주신다."(3,34). 요한복음은 '성령'뿐만 아니라 예수의 선물이 풍요로움 안에서 주어진다는 것을 강조한다(참조: 요한 1,16; 2,10; 6,13; 10,10 등).
48) 참조: H. RITT, Frau, 300.

요한 4,5-15과 7,37-39에서 약속되는 "생명의 물"($\H\delta\omega\rho$ $\zeta\hat{\omega}\nu$)의 특성을 간략하게 정리하면 다음과 같다.

- 생명의 물은 하느님의 선물이다.
- 하느님의 선물인 생명의 물은 예수 그리스도를 통해 주어진다.
- 생명의 물은 영원히 목마르지 않음, 즉 영원한 생명을 가능하게 한다.
- 생명의 물이라는 '선물'과 '선물을 주는 자'는 일치한다. 즉 예수가 믿는 이들에게 자신을 스스로 선물로 주는 것이다. 그리고 이는 십자가 죽음을 통해 완전하게 이루어진다.
- 생명의 물을 얻기 위한 조건은 '마시는' 행위로 상징되며, 이는 예수에게 가고, 예수를 믿는 것이다.
- 생명의 물을 마실 수 있는 시간은 예수와 대면하고 있는 현재이지만(4,1-42 참조), 예수의 영광과 함께 완전한 충만함으로 주어질 것이다(7,37-39 참조).

예수의 말씀과 행적 안에 인간의 목마름을 영원히 해소할 수 있는 하느님께서 현존하신다. 하느님께서는 예수라는 인물 안에서 인간을 위해 영원한 생명을 선사하신다. 예수("생명의 물")를 통해 온 세상에 구원이 하느님의 선물("생명의 물")로 선포된다. 그리고 이 선물은 예수의 영광, 즉 예수의 십자가 죽음과 부활로부터 흘러나온다. 인간이 물을 통해 지상의 생명을 유지할 수 있듯이, 우리는 생명의 물이요 생명의 빵이신 예수를 향한 믿음을 통해서 영원한 생명을 누릴 수 있다. 예수 그리스도가 바로 생명의 물의 샘이요, 생명의 원천이기 때문이다.

"너희는 기뻐하며 구원의 샘에서 물을 길으리라."

(이사 12,3)

주제어(Keyword)

물(Wasser), 생명의 물(das lebendige Wasser), 영원한 생명(das ewige Leben), 목마름(Durst), 사마리아 여인(Samariterin), 요한복음(das Johannesevangelium)

참고문헌

FENEBERG, W., *Art. ὕδωρ* in: EWNT III(1992) 910-912.

HAENCHEN, E., Das Johannesevangelium. Ein Kommentar aus den nachgelassenen Manuskripten hg. von U. Busse mit einem Vorwort von J. M. Robinson, Tübingen 1980.

IBUKI, Y., Die *Wahrheit* im Johannesevangelium(BBB 39), Bonn 1972.

J. H. NAM, Wer dürstet, der komme zu mir und trinke!". Exegetishce und bibeltheologische Untersuchungen zur Wassersymbolik in den johanneischen Schriften, Innsbruck 2010.

RITT, H., Die *Frau* als Glaubensbotin. Zum Verständnis der Samaritanerin von Joh 4,1-42, in: FRANKEMÖLLE, H. / KERTELGE, K. (Hg.), Vom Christentum zu Jesus. FS für J. Gnilka, Freiburg u. a. 1989, 287-306.

RUPPERT, L., *Dürsten* nach Gott. Ein psalmistisches Motiv im religionsphänomenologischen Vergleich, in: ZMIJEWSKI, J. (Hg.), Die alttestamentliche Botschaft als Wegweisung. FS für H. Reinelt, Stuttgart 1990, 237-251.

SCHAPDICK, S., Auf dem *Weg* in den Konflikt. Exegetische Studien zum theologischen Profil der Erzählung vom Aufenthalt Jesu in Samarien(Joh 4,1-42) im Kontext des Johannesevangeliums(BBB 126), Berlin 2000.

SCHNACKENBURG, R., Die *Person* Jesu Christi im Spiegel der vier Evangelien(HThK. S 4), Freiburg u. a. 1993.

SCHNACKENBURG, R., Das Johannesevangelium, 4 Bde. (HThK IV,1-4), Freiburg u. a. [6]1986/[4]1985/[5]1986/[3]1994.

SCHNELLE, U., Das Evangelium nach Johannes(ThHK 4), Leipzig 1998.

SCHRÖDER, J.-M., Das eschatologische *Israel* im Johannesevangelium. Eine Untersuchung der johanneischen Israel-Konzeption in Joh 2-4 und Joh 6 (Neutestamentliche Entwürfe zur Theologie 3), Tübingen u. a. 2003.

ZIMMERMANN, R., *Christologie* der Bilder im Johannesevangelium. Die Christopoetik des vierten Evangeliums unter besonderer Berücksichtigung von Joh 10, Tübingen 2004.

초기 그리스도교 미술에 나타난 물과 관련된 도상과 상징 연구
- 로마 카타콤에 그려진 도상을 중심으로 -

윤인복(인천가톨릭대학교)

Ⅰ. 서론
Ⅱ. 로마 카타콤에 그려진 이미지와 상징
Ⅲ. 물과 관련된 도상과 상징
　1. 노아의 홍수
2. 요나 이야기
3. 사마리아 여인
4. 그리스도의 세례
Ⅳ. 결론

Ⅰ. 서론

물은 모든 형태의 생명, 무엇보다 인간 존재와는 불가분의 관계를 맺고 있다. 물은 인간세계에 다양한 가치를 부여한다. 성경은 물을 주요 요소로 한 창세기의 창조 설화, "하느님의 영이 그 물 위를 감돌고 있었다."(창세 1, 2)라고 시작하여, 요한묵시록의 새 예루살렘에 대한 환시, "천사는 또 수정처럼 빛나는 생명수의 강을 나에게 보여 주었습니다. 그 강은 하느님과 어린양의 어좌에서 나와, 도성의 거리 한가운데를 흐르고 있었습니다."(묵시 22, 1~2)라고 하면서 끝맺는다. 성경에서 물과 관련된 말은 기후와 관련된 용어로 비, 이슬, 서리, 눈, 우박, 폭풍이 있고, 지리적 용어로 대양, 깊은 못(심연), 바다, 샘(생수), 강, 사나운 물결(급류, 파도)이 있다. 또한 급수와 관련된 용어로 샘, 운하, 저수지, 물 저장고가 있으며, 물의 사용과 관련된 용어로 마시게 하다, 마시다, 갈증을 풀다, 물에 잠기다(세례받다), 씻다, 정화하다, 붓다 등이다.[1]

---

1) P. 로싸노, G. 라바시, A. 지를란다, 「새로운 성경 신학 사전」, 성 바오로 딸, 2007, p. 581.

성경에서 물이란 주제와 관련된 구절이 구약에서는 1500번 이상이 나오며, 신약에서는 약 430번이 나올 정도로, 성경의 내용에 물은 다양한 표현과 상징을 부여하고 있음을 알 수 있다. 성경에서 물은 인간에게 향수와 갈망, 공포와 저항심도 상징하지만, 한편으로 물은 계약의 하느님인 야훼와의 관계에서 해석된다. 이렇게 물은 중요한 상징적 요소를 갖는다. 이런 맥락에서 초기 그리스도교 미술 안에서 물이 어떤 상징적 요소를 갖는지에 관해 살펴보고자 한다. 본고는 초기 그리스도교 미술에 나타난 물의 상징성에 관한 연구로, 성경에 나오는 물과 관련된 주제를 로마 카타콤(Catacomb) 내부 벽에 다양하게 그려진 도상을 중점적으로 다루고자 한다.[2] 본 연구의 선행 과제로 로마의 카타콤들의 형성배경과 그곳에 그려진 이미지들의 유형과 의미에 관해 분석할 것이다. 이러한 로마의 카타콤 분석은 본론에서 다룰 물과 관련된 주제의 도상에 관한 연구의 배경적 요소가 되며, 초기 그리스도교 미술에서 물이 의미하는 바를 심화시킬 수 있기 때문이다. 마지막으로 본론에서는 로마의 카타콤에 그려진 물과 관련된 도상을 주제별로 분류한 후, 도상학적으로 분석하고 그 안에 담긴 상징성을 살펴보고자 한다.

II. 로마 카타콤에 그려진 이미지와 상징

로마 제국 말기에 초기 그리스도인들의 지하 무덤을 카타콤이라고 지칭했다. 네로 황제의 박해를 전후해 초기 그리스도인들의 포교는 주로 테베레 강변이나 로마 시내 외곽의 아피아 가도 부근에 거주하던 하층민들 사이에 진행되었으며, 이들이 은밀히 모이던 장소도 카타콤이었다.[3] 로마 제국 시대에는 도심의 성안에 황제의 무덤 이외에 다른 시신은 매장되거나 화장될 수 없었다. 로마 귀족의 경우 자신의 영지에 분묘를 만들 수 있었지만, 일반 사람들은 도심 밖에 무덤을 만들어야만 했다. 그

---

2) 지금까지 로마 카타콤에 관한 연구로는 내부 벽에 그려진 예수 그리스도 도상이 가장 많이 조명되었으며, 카타콤에 그려진 성모 마리아 도상의 유형별 연구도 진행되었다.

3) 필립 아리에스, 「죽음 앞의 인간」, 새물결, 2004, p. 84.

러나 점차 매장할 곳이 부족하자 일반 사람들은 지하로 굴을 파 시신을 그곳에 안치하거나, 일부 상류 귀족 신자들이 가난한 그리스도교 신자들에게 자신들의 가족 묘지를 함께 사용하도록 허락하거나 토지를 기부하여 형편이 어려운 그리스도인들은 죽은 그리스도인들을 땅속에 파서 매장하기 시작했다.

육체의 부활에 대한 믿음 때문에 그리스도인들은 대개 죽은 사람을 화장이나 옹기장 관습보다는 매장하였다. 그리스도교인들은 처음에는 자신들만의 공동묘지가 없었기 때문에 이교도들과 공동으로 사용하는 묘지에 묻혔다. 그러나 그리스도교 인구의 증가와 그들의 결속성은 그리스도인들을 위한 지하 무덤을 형성해 나가게 하였다. 부유한 이와 가난한 이, 귀족과 노예가 차별 없이 죽음을 맞이하고 함께 부활하기 위하여 카타콤들이 생겨나기 시작하였다. 순교자, 성인들의 무덤은 천상의 구원을 자신 묘소 주변에 있는 신자들에게 전해준다 여겼기 때문에 신성하게 보았다. 성스러운 무덤은 이제까지 상반되는 것으로 생각되었던 하늘과 땅이 만날 수 있는 특별한 장소였다.[4] 또한 이 지하 공동묘지는 성찬식을 거행할 수 있던 초기 그리스도교인들의 임시 집회 장소이기도 했다.

그리스도인들은 자신들의 공동묘지를 육신의 부활을 기다리는 공동의 안식처를 의미하는 '체메테리움(Coemeterium)'이라 불렀다. 초기 그리스도인들은 체메테리움에서 죽음을 이긴 영원한 생명과 그리스도의 부활을 기다리는 공동체 의식을 추구하고자 했다.[5] 이 까닭에 초기 그리스도인들의 죽음의 공간인 카타콤 내부에 그들의 염원을 담은 다양한 주제의 그림을 그렸다. 그려진 벽화나 장식은 초기 그리스도인들의 미술과 그들 신앙의 핵심을 이해할 수 있다.

무덤의 입구나 여러 무덤이 있는 묘실 등의 벽면에는 죽은 사람의 이름과 매장 일자, 나이 등을 새겨놓기도 했고, 그들의 신앙을 상징하는 이미지들과 구약과 신약성경에서 차용한 내용을 설명하는 서사적 이미지들을 남겨 놓고 있었다.[6] 벽면과 석관

---

4) 피터 브라운, 「성인 숭배」, 새물결, 2002, p. 42; 참조: 필립 샤프, 「교회사 전집 2. 니케아 이전의 기독교」, 크리스챤다이제스트, 2004, pp. 281~282.

5) 이덕형, 「비잔티움, 빛의 모자이크」, 성균관대학교 출판부, 2006, p. 52.

6) Leonide Ouspensky, 「Theology of the Icon」, Crestwood; St. VladmIr's Seminary Press, 1978, p. 83.

에 그려진 상징 이미지는 물고기, 빵, 포도 넝쿨, 공작, 비둘기, 올리브 나뭇가지, 어린양, 착한 목자, 오란스 등이 장식되었다. 구약성경에서는 〈요나의 고래 이야기〉, 〈노아의 방주〉, 〈사자 동굴 속의 다니엘〉, 〈아브라함과 이삭〉, 〈바위를 치는 모세〉 등이 그려지고, 신약성경에서는 〈라자로의 부활〉, 〈그리스도의 세례〉, 〈빵과 물고기의 기적〉, 〈사마리아 연인〉 등과 같은 이야기가 선호되었다. 이들 이미지는 초기 그리스도인들의 신앙의 핵심인 종말론적 소망과 부활에 대한 희망이 담겨 있었다. 하지만 이러한 이미지 중에 그리스-로마 신화의 이미지나 로마 시대의 다양한 종교 표상에서 볼 수 있던 이미지들도 나타났다.

착한목자

카타콤에서 가장 눈에 띄는 것은 착한 목자의 모습이다. 수염이 없는 젊은 청년의 얼굴은 그리스 조각에 나타나는 영원한 이상적인 아름다움을 초기 그리스도의 이미지에 중첩한 것이었다. 이렇게 젊은 청년 모습의 그리스도는 영원한 젊음으로써 그리스도의 전지전능함과 초월성을 표현하는 방법이기도 했다. 성경에서는 여러 번 목자와 양에 관한 이야기가 등장한다. 목축에 크게 의존하고 있는 이스라엘 지역에서는 거의 자명한 비유로, 목자는 이른 아침부터 양 떼를 데리고 들판으로 나온다.

(도판 1) 착한 목자, 3세기, 프레스코,
프리실라 카타콤, 로마

프리실라(Priscilla) 카타콤에 그려진 착한 목자를 살펴보면, 수염을 말끔하게 깎은 목자는 짧은 튜닉을 입고 고전적인 동작을 취하고 있다. 나무와 새에게 둘러싸인 목자는 양을 어깨에 지고 있고, 주머니를 메고 지팡이를 들고 있다.(도판 1) 그의 오른손으로는 아래 양들을 인도하고 있다. 지팡이와 그의 손길은 양들을 이끄는 하나의 사랑의 도구이다. 시력이 너무 나쁘므로 방향감각이 없는 양들의 특징상 목자는 소리를 내거나 지팡이로 땅을 치면서 양들을 몰아야 하기 때문이다. 온종일 먹이와 물을 찾아 옮겨 다니는 양들은 목자의 음성을 듣고 따라가야 한다. 목자가 잃어버린 양 한 마리를 찾아 매우 기뻐한다는 비유처럼, 목자는 자신의 양 떼 중 누구라도 길을 잃어버린다면 진정으로 염려하며 집으로 들어오기까지 쉴 수 없을 것이다. 그리스도는 목자이며, 양 떼는 교회인 것이다. "나는 착한

(도판 2) 착한 목자, 3세기경, 프레스코, 산 갈리스토 카타콤, 로마

목자다. 착한 목자는 자기 양을 위하여 목숨을 바친다."(요한 10, 11) 예수가 실제로 양들을 위해 십자가 위에 죽음을 통해 모든 것을 내어준 착한 목자로 묘사된 것이다. 칼릭스투스(Callixtus) 카타콤의 착한 목자에서도 한가로이 노닐고 있는 목가적인 풍경에, 무릎까지 내려오는 짧은 튜닉을 입은 젊은 그리스도(착한목자)가 한 손으로 양의 두 다리를 꽉 잡고 있는 모습이 그려있다.(도판 2) 평화로운 낙원의 장면을 연출한 듯한 벽화에는 두 젊은이는 착한목자 옆에 서 있는 나무에서 쏟아지는 물을 마시고 있다. 물은 생명의 물로 예수 그리스도를 상징한다. 그리스도가 두 젊은이에게 원기를 주는 것이며, 나무들도 목자인 그리스도 안에 영원한 생명이 있음을 상징한다.[7] 착한 목자가 양들을 보호하고 그리스도에게 구원되어 낙원에서 기쁘게 살아가고 있는 영혼을 의미하는 이미지들이다. 착한 목자 이미지는 목자가 길 잃은 어린 양을 찾아내듯이, 초기 그리스도인들은 죽음의 두려움이나 공포에서 벗어나, 구원받을 것이라는 믿음과 희망을 상징적으로 드러내고 있다.

---

7) "주님은 나의 목자, 나는 아쉬울 것 없어라. 푸른 풀밭에 나를 쉬게 하시고 잔잔한 물가로 나를 이끄시어 내 영혼에 생기를 돋우어 주시고 바른길로 나를 끌어 주시니 당신의 이름 때문이어라. 제가 비록 어둠의 골짜기를 간다 하여도 재앙을 두려워하지 않으리니 당신께서 저와 함께 계시기 때문입니다. 당신의 막대와 지팡이가 저에게 위안을 줍니다."(시편 23, 1-4)

물고기

(도판 3) 물고기와 그릇에 담긴 빵, 프레스코,
산 칼릭스투스 카타콤, 로마

(도판 4) 성 만찬, 칼리스투스 카타콤, 로마

물고기 이미지는 초기 그리스도교의 상징적 이미지 가운데 가장 보편적인 상징이다. 물고기는 고대 이래 풍요와 다산과 부를 상징했지만, 이집트인들은 부활의 상징으로, 로마 시대에는 에로스의 상징으로도 사용되고 있었다. 그러나 초기 그리스도인들은 이 물고기를 신약성경을 언급된 은유적 표현들과 함께 사용하기 시작했다.[8]

초기 그리스도인들은 로마 제국의 박해 때 서로가 신자임을 확인하기 위해 암호처럼 물고기의 기호를 사용하기도 했다. 예수가 '다섯 개의 빵과 두 마리 물고기로 오천 명을 먹인 기적에 관한 성경의 내용처럼, 유대인들에게는 빵과 물고기가 중요한 음식물이었다.[9](도판 3) 그리고 물고기는 그리스어로 '예수 그리스도 하느님의 아들

---

8) 이덕형, 앞의 책, p. 68.

9) 오천 명을 먹이신 기적에 관한 도상은 미술에서 처음 등장한 것은 5세기경이다. 처음에는 그리스도가 빵과 물고기에 목자의 지팡이를 대는 모습으로 나타났다. 그 후 점차 자연스러운 풍경을 배경으로 감사의 기도를 올리는 장면이나 빵을 나누어 주는 표현 등이 등장했다.

구세주, I(Iesus) X(Christos) Θ(theu) Υ(hyios) Σ(soter)'를 나타내는 말의 첫 글자들을 따면 '물고기, IXΘΥΣ(ICHTYS)'라는 말이 된다. 이처럼 초기 그리스도인들에게는 물고기 이미지는 그리스도를 대신하는 상징적 기호로 사용되기 시작했다. 칼릭스투스 카타콤 내부 벽에는 일곱 명이 둘러앉아 있고, 그 식탁 위에는 물고기가 접시에 담겨 있다. 그리스도교에서 7이란 숫자는 구원의 상징이며, 물고기는 예수 그리스도, 하느님의 아들, 구세주를 가리킨다. 그리고 물고기는 빵의 이미지와도 연관된다. 그리스도가 갈릴래아 호숫가에서 다섯 개의 빵과 두 마리 물고기로 오천 명을 먹인 기적을 연상시키는 이미지이다. 이렇듯 빵과 물고기는 일반적으로 식사와 관련하여 오랫동안 성찬례와 결부된 의미를 부여하고 있다. (도판 4)

모노그램-XP

그리스도를 표시하기 위해서는 그리스어의 X(Chi)와 P(Rho)로 짜 맞춘 글자 표시들을 사용한다. 앞서 언급한 물고기의 상징은 주로 그리스도교의 박해 때 사용되다가 사라지고, 이후 4세기 콘스탄티누스 대제 이후 그리스도교를 대신하여 <X.P.>라는 모노그램이 나타났다. (도판 5) X.P.는 그리스어 알파벳 X(Chi:키)와 P(Rho:로)가 서로 합성한 상징이다. 그리스어 단어 'ΧΡΙΣΤΟΣ'의 앞머리 두 글자를 나타낸다. 두 글자 XP가 원안에 삽입

(도판 5) 그리스도 모노그램, 4세기, 바티칸 박물관, 로마

되고 십자가를 연상시키는 가로획이 그어지면서 키로 십자가의 완벽한 형태를 갖추게 된다. 키로는 원과 태양과 관련된 상징으로 신성(神性)함의 표상이다. 종종 키로의 양 끝에 그리스어 철자 A와 Ω(알파와 오메가)가 덧붙여지기도 한다. 전하는 이야기에 따르면, 콘스탄티누스 대제는 312년 로마 제국을 위협하던 막센티우스의 군대와 밀비오 다리에서 전투를 하기 전날 밤 꿈에 천사로부터 'XP(키로)'라는 기호를 받았다고 전한다. 전투에 나가는 병사들의 방패에 이 기호를 새기게 했고, 콘스탄티누스는 전

투에서 승리를 거두었다. 또한 이 모노그램은 라틴어 X.P.라고도 읽을 수 있으며, 평화를 의미하는 'pax'의 상징으로도 사용된다.[10]

오란스(Orans:기도하는 여인)

(도판 6) 오란스, 4세기중반, 카타콤 지오르다노, 로마

2세기 이후부터 오란스 도상은 초기 그리스도교 시대 카타콤에서 '착한 목자'와 함께 가장 많이 나타난 형상이다. 튜닉을 걸친 인물은 양 팔을 기도하거나 탄원하듯 하늘로 들어 올린 채, 손바닥을 밖으로 드러내고, 머리와 눈을 약간 위쪽으로 하늘을 바라보는 모습을 하고 있다.(도판 6) 이 자세는 신(神)에게 천상에서의 영생을 간구하는 신앙심 깊은 기도하는 사람의 자세로 해석된다. 죽은 영혼의 부활이나 구원을 염원했던 그리스도인들에게 중요한 의미를 차지했다. 오란스 형식의 이미지는 이미 헬레니즘 미술에서 죽은 사람의 영혼이 낙원으로 갈수 있도록 장례 이미지로 보편화되어 사용되었으며, 로마 시대에는 주로 석관이나 동전에 부조 형식으로 새겨지곤 했으며, 더욱이 황제의 부모나 가족을 기억하기 위한 방법으로 그려졌다. 이러한 변화의 과정에서 초기 그리스도인들에게 오란스는 영원의 안식에 대한 기원을 상징하는 도상으로 이용된 것이다. 또한 이 오란스 이미지에서 성모 마리아는 일반적으로 혼자 표현되나, 4세기 중엽부터 영혼의 평화와

---

10) George Fergusson, 「Sign & Symbols in Christian Art」, Oxford: Oxford University Press, 1969, p. 150.

구원과 같은 주제들이 성
모 마리아 형상과 결합하여
그리스도의 육화와 구속(救
贖)의 상징으로 나타났다.[11]
성모 마리아는 신과 인간의
중개자 역할로, 카타콤에
어린아이를 안고 있는 여인
의 모습으로 나타난다. 로
마의 치미테로 마조레 카
타콤(Catacombe di Cimitero

(도판 7) 성모자, 4세기경, 치미테로 마조레 카타콤, 로마

Maggiore)에 그려진 여인과 어린 아이의 모습에서 여인은 정면을 바라보며 오란스 유
형을 취하고 있다.(도판 7) 벽화의 아랫부분이 완전히 소실되어 흉상만 보이지만, 여
인은 소매가 넓은 달마티카를 입고 있고, 잘 정돈된 머리에 흰색 베일을 쓰고 있다.
여인이 벌린 손 위쪽으로 그리스도를 뜻하는 모노그램 XP가 결합한 글자가 새겨있
다. 사실 여인의 진주 목걸이와 귀걸이 장식이나 의상은 귀족 부인의 모습을 취하고
있으나, 그녀의 앞에 앉아 있는 어린아이는 아기예수로 파악할 수 있다. 카타콤의 이
오란스 유형은 하느님의 품 안에 들어가 안식을 누리는 영혼을 상징하기 시작했다.
또한 이 유형은 일반적으로 성모 마리아와 아기예수 도상의 원형처럼, 이후 비잔틴
미술에서 테오토코스(Theotokos) '호데게트리아(Hodigitria)' 이콘과 '엘레우사(Eleousa)'
이콘의 모티프가 된다.[12]

서양미술사학자 무지에 따르면, 오란스 유형의 성모 마리아에서 양 팔을 올린 것
은 신비의 문을 여는 것을 의미하고, 펼쳐진 신성한 공간을 통하여 하느님의 은총을

---

11) 윤인복, 「초기 그리스도교 시대 로마 카타콤바에 나타난 마리아 도상 연구」, 『한국이탈리
아어문학회』, 2016, p. 80.
12) 호데게트리아(Hodegetria, 인도자의 성모) 유형은 성모 마리아가 아기예수를 품에 안고
있는 모습이며, 엘레우사(Eleusa, 자비의 성모) 유형은 어머니로서의 성모 마리아가 아기
예수를 다정하게 감싸 안은 모습이다.

신비롭게 받는 행동인 것이라고 기술했다.[13] 그리스도인들에게 오란스 유형은 새로운 영원한 계약을 의미한다.

Ⅲ. 물과 관련된 도상과 상징

1. 노아의 홍수

물은 갈증을 덜어주고 더러운 것을 씻어주기도 하지만 혼란과 죽음을 상징하기도 한다. 물은 인간의 악행을 제지하기 위한 부정적이고 위험한 요소로도 나타난다. 성경에서 하느님께서는 나날이 포악해지고 타락한 세상을 보며 홍수를 내려서 인류를 멸망시키려 하였다. 노아는 타락하고 사악한 세상에서 의로운 사람이었으므로 하느님의 사랑을 가득 받았다. 그래서 하느님은 노아에게 거대한 방주를 만들라고 지시하셨다. 이윽고 완성된 방주에는 하느님의 명령에 따라서, 노아의 아내와 그의 아들 셈과 함과 야펫, 그리고 세 며느리를 비롯해 땅의 모든 생물이 다시 번성할 수 있도록 모든 생물을 종류대로 암컷과 수컷 한 쌍씩도 배에 실었다.

노아의 가족, 그리고 동물들이 방주에 오르고, 마침내 하느님은 하늘로부터 홍수를 쏟아부었다. 홍수는 온 세상의 육지가 다 잠길 때까지 사십일 밤낮을 쉬지 않고 쏟아졌다. 하느님께서는 당신의 정의 안에서 세상에 만연한 악을 치시는데, 고대 근동 지방에서 혼돈의 상징인 매서운 물로 악을 쓸어버리신 것이다. 그러나 하느님께서는 당대에 "의롭고 흠 없는" 노아에게서 구체화된 모든 의인을 "하느님 앞에 타락하고 폭력으로 가득한 세상"에서 구해 주셨다. (창세 6, 11)

2세기에서 3세기로 추정되는 로마의 카타콤 산 마르첼리노와 산 피에트로(Santi Marcellino e Pietro) 벽화에는 비둘기와 함께 그려진 노아의 이야기가 남아있다. (도판 8) 석관 모양의 방주를 타고 양팔을 들고 있는 노아의 모습과 왼쪽에 비둘기가 노아를

---

13) G. Muzj, *L'iconografia della Madre di Dio nell'enciclica ≪Redemptoris Mater≫*, Articolo tratto da "Ripararazione mariana" 1988/2, per gentilie concessione dell'autrice.

향해 날아오는 모습이 묘사돼 있
다. 비가 계속 내리는 가운데, 불어
난 물에 살아 있는 것들이 죽음을
맞이한다. 엄청난 홍수로 인하여
방주에 탄 노아의 가족과 동물을
제외한 나머지 생명은 지상에서
영원히 사라진다. 백오십 일 동안
계속 불어났던 물은 마침내 그치
고 방주는 아라랏 산 위에 놓인다.
커다란 방주가 물 위에 떠 있고, 노
아는 마른 땅을 찾기 위해 까마귀

(도판 8) 노아의 방주, 3세기,
마르첼리노와 산 피에트로 카타콤, 로마

한 마리와 비둘기 한 마리를 날려 보낸다. 까마귀는 아직 온 세상이 물에 잠겨있어
내려앉을 곳을 찾지 못하고 이리저리 돌아다니다 방주로 되돌아와 있다. 그다음 노
아는 창문에서 비둘기를 날려 보내려 하고 있다. 이 비둘기 역시 그냥 돌아온다. 다
시 얼마가 지난 후, 노아가 비둘기를 날려 보내자 이번에는 싱싱한 올리브 잎을 부리
에 물고 되돌아온다.

　　벽화 그림에서처럼 노아를 향해 날아오는 비둘기의 입에는 올리브 가지가 물려있
다. 아직 물에 둥둥 떠 있는 방주에서 노아는 양팔을 펼친 채, 올리브 가지를 물고 있
는 비둘기를 바라보고 있다. 카타콤에 그려진 노아의 방주 이야기는 성경이 내용을
서술적으로 전개하지는 않았다. 성경의 서사적 내용을 거의 상징적 의미만을 포함
하여 간결하게 일부분만을 표현하고 있다. 여기에서 방주의 의미를 잘 새길 수 없으
나, 하느님의 도움으로 홍수를 극복할 수 있었던 석관을 타고 있는 노아는 기도하는
사람(오란스)과 같이 표현돼 있다. 특히 노아가 들어가 있는 방주의 형태는 석관으로,
이는 죽음을 의미하기도 한다. 여기서 물은 생명을 이야기하기보다는 심판과 파멸이
더 적절한 의미로 파악된다. 물이 홍수가 되어 세상을 파멸시켰고, 이제 노아와 그가
이끈 몇몇 가족들과 짐승만이 새 생명을 얻어 세상을 이을 것이다. 모든 사람이 타락
한 생활에 빠져 있어 하느님이 홍수로 심판하려 할 때, 노아는 늘 깨어 활발하게 기
쁨에 찬 삶을 철저히 살았기에 하느님의 심판에서 벗어나 구원의 길, 하느님의 영원

한 빛을 얻게 될 것이다. 노아의 방주에서 보여주는 물의 의미는 혼란과 죽음, 심판과 파멸을 의미하고 있다. 물론 본질적으로 로마 카타콤 안에 그려진 것에 기인하다면, 물 자체는 죽음과 혼란을 상징하고 있으나, 노아의 구원은 카타콤에 묻힌 그리스도인들이 노아처럼 죽음으로부터 구원받을 것이라는 희망의 메시지가 담겨있다.

2. 요나 이야기

바다는 복음서에서 겐네사벳 호수를 가리키는 용어로 사용되었다. 잔잔해진 폭풍이나 악령이 든 돼지들이 바다로 빠져든 사건과 같은 몇몇 일화에서 바다는 하느님 나라에 대적하는 세력들의 자리, 곧 악마의 자리로 묘사되었다고 말할 수 있다. 대양의 물이나 큰 강물은 우주적 차원으로 강조되어 나타나는데, 개인이나 백성의 생활에 잠재해있는 큰 위험의 이미지로 간주된다. 그러한 위험은 폭풍이 이는 바다 위에서 작은 배를 타는 것, 모든 것을 뒤엎거나 삼켜버리는 거대한 물결에 직면한 것을 상징한다. 물과 관련된 이러한 이미지는 탄원 또는 기도하는 이가 하느님의 자비로운 권능이 개입되지 않고서는 빠져나갈 수 없는 상황에 부닥쳐 있음을 알리기 위해 사용되었다.[14]

로마의 카타콤에 나타나는 초기 그리스도교의 상징적 이미지들 가운데 〈노아의 방주〉, 〈이삭의 희생제물〉 등은 유대인들의 영향을 받아 구약성경의 내용을 토대로 그린 것이다. 이렇듯 구약성경을 바탕으로 한 〈요나 이야기〉는 카타콤이나 석관 장식으로 자주 드러난 이미지였다. 요나는 하느님의 말씀을 전하라는 사명을 불복하여 두려워 도망가다가 뱃사람들에 의해 큰 폭풍을 잠재우는 희생 제물로 바다에 던져진다. 그리고 요나는 사흘 낮과 사흘 밤을 큰 물고기 배 속에 있었다. 물고기 배 속에서 요나는 하느님께 기도드렸으며, 하느님께서는 그 물고기에게 분부하시어 요나를 육지에 뱉어내게 하셨다. 다시 하느님의 말씀을 전하는 길로 들어선다.

로마의 카타콤 산 마르첼리노와 산 피에트로에는 3세기 중반 것으로 추정되는 천장 벽 중심부에는 〈착한 목자〉가 그려져 있고 그 주변으로는 〈요나의 이야기〉가 둘러싸고 있다.(도판 9) 착한 목자의 이미지 위쪽은 상당히 훼손되어 보이지 않지만, 아래

---

14) P.로싸노, G.라바시, A.지를란다, 앞의 책, p. 592.

쪽은 요나가 성난 바다에 던져지는 장면과 요나가 큰 물고기 배 속에서 살아나오는 장면, 그리고 요나가 니네베에서 아주 까리 넝쿨 아래서 휴식을 취하는 장면이 세분화 되어 나타난다. 그리고 장면과 장면 사이에는 기도하는 자세인 오란스 유형이 그려있다. 주로 카타콤의 가족무덤에 등장한 요나에 관한 내용은 여러 장면으로 나누

(도판 9) 요나 이야기, 3세기,
산 마르첼리노와 산 피에트로 카타콤, 로마

어져 변이형으로 등장한다. 로마 바티칸 박물관에 소장된 3세기의 석관 부조를 살펴보면, 요나 이야기에 시간성을 염려해둔 것처럼 이야기는 시간의 흐름에 따라 연속적으로 자세히 묘사되어 있다. (도판 10) 그리스도인들의 장례 의식에 쓰이던 석관은 당시 로마 사회에서 이교도들이 사용하던 형태를 빌려온 것인데, 그리스도인들은 석관 표면을 그리스도교적인 내용을 장식하면서 최초의 그리스도교 조각을 탄생시켰다.[15] 장방

(도판 10) 요나 이야기, 3세기, 바티칸 박물관, 로마

15) 박성은, 「기독교 미술사」, 대한기독교서회, 2008, p. 25.

형의 석관 한 면에는 <요나와 큰 물고기>와 <아주까리 덩굴 아래서 휴식>하는 두 가지 내용이 새겨있다. 화면 왼쪽에 요나는 성난 바다를 잠재우기 위해 희생 제물로 바다에 던져지고 있고, 이를 기다렸다는 듯이 바로 옆에는 괴물처럼 보이는 성경에서 말하는 큰 물고기가 입을 벌리고 있다. 이어 같은 물고기에서 요나가 빠져나오고 있는 장면이다. 그리고 바로 위에는 요나가 아주까리 잎으로 그늘이 만들어진 곳에서 편안하게 휴식을 취하는 모습이다. 석관 부조의 요나 이야기는 한 화면에 시간의 연속성에 따라 새겨진 것에 반해, 카타콤 천장의 요나 이야기는 전체 공간적 구성과 장식적 효과를 염두에 두고 내용을 분리하여 묘사하고 있다. 즉 시간성보다는 공간성을 고려한 구성이라고 볼 수 있다. 카타콤 내부의 둥근 천정에는 로마 시대 별장이나 주택 벽화에서 구획을 나누어 형상을 삽입하거나 장식적이고 회화적인 선의 표현이 나타난다. 전체 천정은 크고 작은 원형이나 반원형으로 구획되어 커다란 십자가 형태를 이루며 서로 연결되어 있다. 이곳에 그려진 요나 이야기는 각각의 반원형 안에 하나씩 에피소드가 묘사되어 있다. 착한 목자 아래 왼쪽부터 순서를 보자면, 요나가 바다에 던져지는 모습 다음 그가 니네베로 다시 가서 아주까리 잎 그늘에서 휴식하는 모습이다. (도판 11) 그 옆에는 요나가 물고기에서 나오는 모습이다. 실제 성경이 기록한 시간의 순서로는 요나가 바다에 던져져 물고기에 들어갔다가 거기서 나온 후, 휴식을 취하는 순서다. 카타콤에서는 석관 구조와는 달리 이야기의 전개가 중요했다기보다 요나라는 인물이 차지하는 비중이 더 상징적이었다. 물고기 배 속에서 요나는 주 하느님께 기도드리며, "물이 저의 목까지 차오르고 심연이 저를 에워쌌다"고 말한다. (요나 2, 2) 요나가 빠진 바다는 혼돈과 거센 거대한 양의 물로 하느님을 거역하는 세력이 자리 잡고 있는 두렵고 위협적인 장소로 상징된다. 그러나 요나는 바다의 물고기 배 속에서 사흘을 지내다가 하느님에 의해 구원을 받게 됐다. 요나는

(도판 11) 천장벽화, 3세기,
산 마르첼리노와 산 피에트로 카타콤, 로마

사도 바오로처럼 이방인에게 하느님 말씀을 전파하는 역할을 맡았던 것처럼, 요나도 니네베로 가서 이방인들에게 하느님 말씀의 전파를 상징했지만, 초기 그리스도인들에 게는 요나 이야기가 부활 신앙의 표상으로 자리한 것이다.[16] 요나가 사흘 밤낮을 물고 기 배 속에 있었던 것과 같이 예수 그리스도도 사흘 밤낮을 땅속에 있었다. 이것은 그 리스도가 사흘 만에 부활한 것을 요나의 경우에 비유한 것이다.

3. 사마리아 여인

물은 영혼의 갈증을 풀어주는 생명의 의미를 가진다. 예수가 사마리아의 시카르 라는 한 고을에 이르렀을 때 야곱의 우물에서 사마리아 여인과 이야기를 나눈다. 몹 시 피곤하고 갈증이 난 예수는 물을 긷는 여인에게 마실 물 좀 달라고 요청한다. 당 시 유대인과 사마리아인 간에는 반목질시하였고 유대인이 그 지역에 가지도 않고 그 곳 주민과는 상종도 하지 않았다. 그러나 예수는 달랐다. 오히려 예수는 지상의 목 마름에만 집착하는 여인에게 영원한 생명의 물을 주고 깊은 곳의 갈증을 풀어준다고 말한다. 예수는 그녀에게 자기가 기다리는 메시아임을 드러낸다. 사마리아 여인은 고을 사람들에게 가서 메시아를 만났다는 것을 알리고, 그녀를 비롯해 사마리아인들 은 예수를 믿게 되고 그들의 삶이 변화된다.

사마리아 여인의 이야기는 그리스도교 미술에서 많은 화가가 선호하는 주제 중 하나이다. 이미 3세기 로마 카타콤 벽화에서 찾아볼 수 있다. (도판 12) 4세기 초에 그 려진 것으로 추정되는 로마의 비아 라티나 카타콤의 사마리아 여인 장면은 최상의 보존 상태는 아니지만, 주제의 등장인물과 배경이 명확히 묘사된 상태를 볼 수 있다. 목가적 풍경을 연상케 하는 바위와 나무를 배경으로 커다란 우물 사이에 1세기경부 터 그리스도교인들이 입기 시작한 달마티카(Dalmatica) 형태의 옷을 입은 예수와 물 항아리를 든 사마리아 여인이 선 채 대화를 나누고 있다.[17]

---

16) 이덕형, 앞의 책, p. 82.

17) 달마티카는 직사각형을 반으로 접어서 양쪽 팔 밑을 직사각형으로 잘라내고 가운데 머리 가 들어갈 부분을 ― 자나 T자, U자 또는 원형으로 파서 만들었다. 옷을 펼쳤을 때는 십자 가의 형태를 이루어 종교적 상징성도 나타난다. 초기 그리스도교는 현세적인 로마인들의 종교관에 천국이라는 내세 관념을 불어넣음으로써 가난한 자유민이나 포로와 노예들 사

(도판 12) 사마리아 여인, 4세기, 비아 라티나 카타콤, 로마

두 사람은 현세와 영혼의 갈증을 풀어 줄 생명의 물에 관해서 대화하고 있다. 여행으로 피곤한 예수는 휴식을 취하기 위해 특별한 장소를 선택한다. 우물이다. 우물은 가정이나 가축을 위해 물을 푸는 곳이다. 또한 우물은 여행자의 만남의 장소이자 갈증을 해소하기 위해 머무는 여행자들과 새로운 소식을 교환하는 장소이기도 하다. 성경에서 우물은 중요한 만남의 장소이다. 아브라함이 자기 아들 이사악의 신붓감을 구하기 위해 종을 떠나보낸다. 아브라함의 종과 레베카가 처음 만난 곳이 우물이다. 또한 야곱이 라헬과 처음 만난 곳도 우물이다. 이들은 우물 가까이에서 새롭게 시작하고 구원의 대역사를 펼치게 된다. 사마리아 여인에게도 우물은 예수를 만나게 되는 중요한 장소가 된다. 성경에서는 사마리아 여인이 우물에서 퍼 올린 물은 우리의 일상적인 목마름을 가라앉히는 물이지만, 예수는 영원히 목마르지 않은 생명의 물을 준다고 전한다. 예수님께서 그 여자에게 이르셨다. "이 물을 마시는 자는 누구나 다시 목마를 것이다. 그러나 내가 주는 물을 마시는 사람은 영원히 목마르지 않을 것이다. 내가 주는 물은 그 사람 안에서 물이 솟는 샘이 되어 영원한 생명을 누리게 할 것이다."(요한 4, 13~14) 예수가 주는 물은 그 사람 안에서 샘이 되고 거기서 물이 솟아 영원한 생명을 누리게 된다는 것이다. 벽화 사마리아의 여인 장면에서 무엇보다 우물이 화면 중앙에 큰 형태로 자리 잡고 있음은 무덤에 묻힌

이에 급속도로 전파되었다. 이들은 지방으로 다니면서 활동을 전개했는데, 종래의 드레이퍼리형 의상은 활동에 매우 불편했기 때문에 일반 로마시민과는 다른 소박한 복식 형태를 취하는 것이 그리스도교의 순교적 신앙을 만족시켰을 것이라 생각된다. 313년에 콘스탄틴 대제가 그리스도교를 공인한 후 달미티카가 점차 귀족이나 성직자들의 대표적인 의복으로 변했고 비잔틴 제국을 비롯한 중세 유럽 복식의 기본형이 되었다.: 정흥숙, 「서양복식문화사」 개정판, 16쇄, 교문사, 2007, pp. 88~89.

그리스도교인들에게는 물이 상징하는 바가 매우 중요하다는 것을 알 수 있다. 예수가 주는 물은 결정적 구원에 대한 목마름을 풀어줄 생수의 이미지라 볼 수 있다.

4. 그리스도의 세례

물의 보편적 상징 의미는 죽음(물속에 잠겨 존재 이전의 상태로 복귀하는 것)과 재생(물속에서 나와 우주 창조의 형성 행위를 반복하는 것)이다. 초기 그리스도교는 이러한 보편적 물의 의미를 그리스도의 역사적 현존에 새로운 의미를 부여했다. 세례를 통해 낡은 사람은 물에 잠김으로써 죽고, 물속에서 나와 다시 새롭게 태어난다는 것을 상징한다. 또한 세례는 그리스도의 죽음과 부활에 참여한다는 것을 의미한다. 세례성사의 물로 새롭게 태어남으로써 그리스도인들은 그리스도의 죽음과 하나를 이루고, 그리스도가 죽은 후 사흘 만에 무덤에서 다시 살아난 것처럼 인간의 부활도 약속된 것을 믿는 것이다.[18]

(도판 13) 그리스도의 세례, 3세기 초, 산 칼리스투스 카타콤, 로마

3세기 초 로마의 산 칼리스투스 카타콤 입구의 루치나 크립트(Lucina Crypt)에 그려진 그리스도의 세례 장면은 지금까지 알려진 세례 이미지 가운데 가장 오래된 것으로 추정된다. (도판 13) 이 벽화에는 강둑에서 올라오는 한 남자의 손을 잡아 끌어올리는 젊은이의 모습이 보인다. 그리고 왼쪽 물 위로는 그들을 향해 날아 내려오는 비둘기가 있다. 이들은 각각 그리스도와 요한 세례자, 성령으로 해석된다. 이 장면은 성경의 내용을 충실하게 따르고 있음을 알 수 있다. "물에서 올라오신 예수님께서는 곧 하늘이 갈라지며 성령께서 비둘기처럼 당신께 내려오시는 것을 보셨다."(마르 1, 10) 그리고 같은 카타콤인 제실에도 루치나 크립트보다 조금 늦게 그려진

---

18) "그리스도 예수님과 하나 되는 세례를 받은 우리가 모두 그분의 죽음과 하나 되는 세례를 받았다는 사실을 여러분은 모릅니까?"(로마 6, 3)

(도판 14) 그리스도의 세례, 3세기, 산 칼리스투스 카타콤, 로마

세례 장면이 있다. 물속에서 정면을 향해 서 있는 그리스도는 어린아이처럼 작게 묘사돼 있고, 그리스도보다 높게 물속이 아닌 지면에 서 있는 요한 세례자는 오른손을 그의 머리 위에 얹고 있다. 특히 화면 왼쪽에는 한 남자가 강에 앉아 낚시질하고 있다. 요나의 이야기나 사마리아 여인의 이

(도판 15) 그리스도의 세례, 3~4세기, 산 마르첼리노와 산 피에트로 카타콤, 로마

야기, 바위를 치는 모세의 이야기처럼 물과의 '접근성'을 통해 특별한 상징을 부여하고자 한 의도다.[19] (도판 14) 또한 이 두 도상보다 늦은 3세기 말에서 4세기 초의 산 마르첼리노와 산 피에트로 카타콤에는 앞에 언급한 도상에 비둘기가 예수의 머리 위에 거의 일직선으로 자리한 형태이다.[20] (도판 15)

---

19) Giovanni Carrù, 「Imparare a guardare, Il bello nel buio delle catacombe」, Lateran university press, 2015, p. 68.
20) 루치나 제실의 그리스도의 세례 장면에 관하여 요셉 스튀에고프스키(Josef Strzygowski)는 "세례를 받고 물에서 올라왔을 때 성령이 내려왔다"는 복음 기록에 충실하게 근거해서 묘사한 가장 오래된 벽화로 보았다. 계속해서 그리스도의 세례 도상은 복음의 내용에서 벗어나 당대의 세례 예식으로부터 표현형식을 빌려왔다고 그는 주장했다. 세례 순간에 성령의 출현이 결합한 것과 옷을 입지 않은 어린아이로 그리스도를 표현한 것, 그리고 세례자가 그리스도의 머리에 손을 얹고 있는 것을 그 근거로 제시했다. 3, 4세기의 문헌을 통해 살펴볼 때, 그리스도의 머리에 얹은 세례자의 손이 침수 동작으로서 예식을 표시한다고 본 것은 설득력이 있다. 또한 손의 모습에서 물로 세례를 준 후, 성령을 부여하는 안수

로마 카타콤에 나타난 그리스도의 세례 장면들의 공통적 요소는 요르단 강이라는 장소와 그리스도와 요한 세례자의 분명한 등장인물이다. 더욱이 물의 접근성을 강조하기 위에 낚시하는 인물을 등장시켰다. 이는 물이 주는 상징적 의미를 요르단 강이라는 장소성과 연결하여 그 의미를 부각하고 있음을 알 수 있다. 요르단 강은 구약의 두 가지 사건, 곧 출애굽 때 홍해, 여호수아와 이스라엘이 건넜던 요르단 강을 의미한다. 죽음을 넘어서는 새로운 구원의 시작임을 알려주는 것이다. 예수에게 요르단 강은 세례 후 공생활 동안 겪게 될 수난을 암시하는 장소이다. 그러나 수난과 죽음은 부활로 연결된다. 그리고 요한 세례자라는 인물 표현이다. 구원의 시작을 알려주는 요르단 강에서 구약과 신약의 중요한 역할을 하는 요한 세례자는 유다 사막에서 은 수자로 살았고, 30세가 됐을 때부터 요르단 강가에서 "하늘나라가 가까이 왔다"고 설교하며 회개의 세례를 베풀었다. 요한의 모습은 일반적으로 "낙타 털로 된 옷을 입고 허리에 가죽 띠를 둘렀다."(마르 3, 4)라는 기록과 같이 넝마 같은 짐승 가죽옷을 입고 헝클어진 머리에 십자가형의 막대기를 든 모습으로 그려진다. 카타콤에 그려진 요한의 옷이나 머리의 외형적 묘사는 성경이 제시한 내용을 담고 있지 않지만, 공통으로 예수보다 큰 체구에 높은 곳에 서서 세례를 주고 있는 모습이다.

앞서 언급한 카타콤보다 좀 뒤에 제작된 5, 6세기 세례 도상에서는 낙타털 옷을 입은 요한 세례자와 강의 신에 관한 고대의 전통을 따르면서 요르단 강이 의인화되어 나타나기도 했다. 6세기 이탈리아 라벤나에 아리우스파를 위한 대성당에 지어진 세례당, 일명 아리우스파 세례당으로 불리는 내부 돔에는 그리스도의 세례 장면이 모자이크로 제작되었다.(도판 16) 요한 세례자

(도판 16) 그리스도의 세례, 5~6세기, 아리우스파 세례당, 라벤나

동작으로도 볼 수 있기 때문에 이 도상에는 당시의 세례 예식이 반영되었다고 볼 수 있다.

가 알몸으로 물속에 반쯤 잠긴 젊은 예수의 머리에 손을 얹고 있다. 예수의 머리 바로 위에는 성령을 상징하는 비둘기가 있다. 성경의 기록에 따라, 세례당 천장에는 예수 그리스도, 요한 세례자, 성령의 비둘기가 묘사돼 있다. 흥미로운 것은 예수의 왼쪽에 상의를 벗고 앉아 있는 흰 수염의 노인이다. 그는 손에 갈대를 들고 허리춤에는 물통을 차고 있다. 물동이에서 흘러나오는 물이 예수가 서 있는 강을 이루고 있음을 볼 수 있다. 이것은 요르단 강을 의인화한 것으로, 산, 물, 바람 등 자연을 의인화했던 그리스인들의 방식이 그리스도교 문화에 여전히 남아있었음을 보여주는 예이다.[21]

로마 카타콤 산 칼리스투스와 산 마르첼로노와 피에트로에 그려진 세례 장면은 라벤나의 세례당에 그려진 모자이크처럼 단독으로 묘사되기보다는 요나 이야기, 노아의 방주, 바위를 쳐서 물을 나오게 하는 모세, 오란스 등과 같이 함께 배열돼 있다. 이것은 세례 장면이 분리된 이미지가 아니라 전체의 일부분으로 의도되었음을 알 수 있다. 카타콤의 세례 장면만으로는 세례 도상을 쉽게 파악하기 어려울 수 있다. 다만, 위에 언급한 주제들과 배열됨에 따라 카타콤의 세례 장면이 새로운 탄생이나, 구원, 부활, 영원한 생명에 대한 희망에 대한 표현임을 공고히 할 수 있다. 카타콤의 이미지는 콘스탄티누스 이전 교회에서는 위험과 박해에 직면한 그리스도인들에게는 평화와 안전에 대한 갈망이 재현된 것이며, 여기서 세례는 종말론적 의미에서 세례는 구원과 영원한 삶에 대한 염원과 믿음이 초기 도상에 표명된 것이다. 그리스도인들은 세례의 물로 새롭게 태어날 것이란 믿음이 있었다.

IV. 결론

지금까지 살펴본 카타콤 이미지들의 조형적 특징은 매우 간결하고 소박하다. 벽면 내부에 그려진 이미지들은 3차원적 입체감을 주기 위해 명암법이나 원근법을 사용하지 않았다. 이는 조형적 아름다움, 즉 입체적 재현보다는 정신적인 깊이를 전달하는 것에 더 중심을 두었음을 알 수 있다. 비록 초기 그리스도인들이 자신들의 새로

---

21) 임영방, 「중세 미술과 도상」, 서울대학교 출판문화원, 2011, pp. 246-247.

운 종교의 교리적 의미를 쉽게 표현하기 위해 관습적으로 통용되어오던 과거의 예술적 이미지를 잠정적으로 차용했지만, 카타콤 이미지들은 공동체 정신에 입각한 교리적이며 전례적인 성격으로 교회의 가르침과 복음을 표현한 것이었다.

로마 카타콤에 나타난 초기 그리스도교의 상징 이미지는 물고기, 빵, 포도 넝쿨, 공작, 비둘기, 올리브 나뭇가지, 어린양, 착한 목자, 오란스 등이 있으며, 구약과 신약 성경의 이야기 중 대표적으로 〈요나의 고래 이야기〉, 〈노아의 방주〉, 〈아브라함과 이삭〉, 〈바위를 치는 모세〉, 〈라자로의 부활〉, 〈그리스도의 세례〉, 〈빵과 물고기의 기적〉, 〈사마리아 연인〉 등이 있다. 본고에서 주목한 로마 카타콤 내부 벽면에 그려진 이미지들 가운데 물과 관련된 도상에서 물의 요소를 크게 두 가지로 분류해볼 수 있다. 첫째는 물의 부정적이고 위험한 요소로 '노아의 홍수'에서 물은 혼란과 죽음을 상징하며, '요나 이야기'에서 물은 모든 것을 뒤엎거나 삼켜버리는 거대한 물결을 상징하고 있다. 두 번째는 물의 긍정적이고 이로운 요소로, '사마리아 여인'에서 물은 영혼의 갈증을 풀어주는 생명의 상징이며, '그리스도의 세례'에서 물은 죽음과 재생의 상징하고 있다. 물은 바다와 범람 가능성이 있는 강물처럼 인간의 모든 능력을 벗어나는 물일뿐 아니라 큰 위협이 될 수 있는 물, 생명의 물이 아니라 죽음을 초래하는 물의 요소와 인간의 안녕과 행복에 유익한 것으로 인간 생명에 꼭 필요한 요소가 있다. 로마 카타콤 내부 벽면에는 성경을 바탕으로 물의 긍정적 요소와 부정적 요소를 포함한 이미지들을 그려놓았다. 하지만, 초기 그리스도교인들에게 물 이미지 활용의 궁극적 목적은 물로써 폐허가 되고 죽음을 맞는 부정적 요소가 아니라, 물로써 갈증을 해소하고 생명을 얻는 긍정적 요소였다. 벽면에 그려진 이미지들은 공통으로 무덤에 묻힌 그리스도교인들이 죽음을 거부하고 영원한 삶을 추구하고자 하는 신앙에서 탄생한 것이다. 초기 그리스도교의 이미지들은 죽음에 맞서 표상된 이미지들이었고, 죽음에 저항하며 시간을 연장할 수 있는 시각적 수단의 하나였다.

주제어(Keyword)

물(Water), 카타콤(Catacomb), 영원한 생명(Eternal life), 구원(Salvation), 요나(Jonah), 사마리아 여인(Samaritan Woman), 그리스도의 세례(Baptism of Jesus), 노아의 홍수(Great Flood of Noah)

참고문헌

P.로싸노, G.라바시, A.지를란다, 「새로운 성경 신학 사전」, 성 바오로 딸, 2007.

피터 브라운, 「성인 숭배」, 새물결, 2002.

필립 샤프, 「교회사 전집 2. 니케아 이전의 기독교」, 크리스챤다이제스트, 2004.

이덕형, 「비잔티움, 빛의 모자이크」, 성균관대학교 출판부, 2006.

윤인복, 「초기 그리스도교 시대 로마 카타콤바에 나타난 마리아 도상 연구」, 한국이탈리아
    어문학회, 2016.

정흥숙, 「서양복식 문화사」 개정판, 16쇄, 교문사, 2007.

박성은, 「기독교 미술사」, 대한기독교서회, 2008.

임영방, 「중세 미술과 도상」, 서울대학교 출판문화원, 2011.

「성경」, 주교회의 성서위원회, 2005.

Claudia Corti, *Il simbolo dell'acqua nell'arte cristiana*, Dedizioni San paolo, 2013.

Giovanni Carrù & Fabrizio Bisconti, *Le catacombe cristiane un percorso di fede e di
    storia*, Città del Vaticano, 2010.

Leonide Ouspensky, *Theology of the Icon*, Crestwood; St. VladmIr's Seminary Press,
    1978.

Umberto M. Fasola & Fabrizio Mancinelli, *Guida alle Catacombe di Roma*, Scala, 2013.

G. Muzj, *L'iconografia della Madre di Dio nell'enciclica ≪Redemptoris Mater≫*, Articolo
    tratto da "Ripararazione mariana" 1988/2, per gentilie concessione dell'autrice.
    2016.

George Fergusson, *Sign & Symbols in Christian Art*, Oxford: Oxford University Press,
    1969.

Giovanni Carrù, *Imparare a guardare, Il bello nel buio delle catacombe*, Lateran
    university press, 2015.

성화(聖化) 프로그램 관점에서의
주두(柱頭) 도상(圖像)에 대한 연구
- 오툉 성 라자르 대성당을 사례(事例)로 -

정윤정(인천가톨릭대학교)

Ⅰ. 서론
Ⅱ. 오툉 성 라자르 대성당과 로마네스크
    시대의 성화(聖化) 프로그램
Ⅲ. 성화 프로그램 관점에서의 주두 도상에
    대한 연구
    1. 성 라자르 대성당 내부 주두 배치 및 테마
    2. 선과 악의 주변 무대적 장치
    3. 악덕을 이기는 미덕에 대한 상징적 표현
    4. 카인에게서 원죄의 지속성과 죽음을

     보다
    5. 말씀과 믿음을 지킨 자와 외면한 자에
      대한 이야기
    6. 그리스도에 대한 서사적 구성
    7. 그리스도 안에 머문 자와 떠나간 자에
      대한 최후의 심판
    8. 삼위일체, 찬미 그리고 천국
    9. 그리스도 수호자로서의 교회
Ⅳ. 결론

Ⅰ. 서론

성 라자르 대성당(Cathédrale Saint-Lazare d'Autun)은 산티아고 데 콤포스텔라(Santiago de Compostela)를 향하는 그리스도 신앙의 성지순례 문화가 확장되는 과정에서 프랑스 부르고뉴 지방의 오툉(Autun)[1]에서 1146년에 완공되었다.[2] 성지순례가 성화를 위

---

1) 프랑스 르와르(Loire)강의 지류인 아루(Arroux)강 좌안에 위치한 부르고뉴 지방에서 가장 아름다운 옛 도시이며, 가톨릭 예술의 중심지 이기도 하다. 9살에 고향 코르시카를 떠난 나폴레옹 1세가 이곳의 예수회 학교(collège des Jésuites)에서 학창시절을 보낸 것으로 알려져 있다.
2) 5세기경 건축되어진 것으로 추정되는 구(舊) 성당(Eglise St. Nazaire) 바로 앞에 세워진 새

한 불가결한 부분으로 인식의 강도가 심화되었던 중세 12세기에 신학적, 사회적, 문화적, 지리적 관점 등 복합적인 요소가 반영된 성지순례 교회 가운데 '예수의 눈물'이라는 드라마틱한 성서 이야기 속의 라자로의 유골 일부가 있다하여 수많은 순례자의 발길이 닿았던 성당이다.

순례자들은 예수의 눈물과 사랑으로 라자로가 죽음에서 소생하였듯이 자신들도 오툉 대성당에서 영혼의 치유와 소생을 통하여 새로운 삶에 대한 용기와 희망의 메시지를 얻으려 했을 것이다.

라자로를 죽음에서 일으켜 세운 예수의 눈물은 악의 세력에 대한 '분노'였으며 믿음이 부족한 자들에 대한 '실망'이었고 영혼의 죽음과 두려움에 떨고 있는 자들에 대한 '연민'이었다.

또한 하느님의 영광을 드러내기 위하여 제자였으며 친분이 두터웠던 라자로의 죽음 앞에서 이틀이라는 고통의 시간을 보내야 했던 예수가 말없이 흘린 그 눈물은 하느님께서 주신 자신의 죽음과 구원이라는 잔(盞)을 마실 수밖에 없다는 고뇌의 결정체였다.

예수의 눈물은 물의 시대에서 포도주의 시대이며 새로운 샘물의 시대를 여는 고통이자 희망의 메시지이었던 것이다.

이러한 복합적이고 함축된 의미를 지닌 예수의 눈물이라는 성서 이야기에서 조연으로 훌륭히 그 역할을 했던 라자르의 유골 보유는 많은 순례자들을 유입하려는 측면에 있어서는 더 할 나위없는 성공적인 기획이었다.

성 라자르 대성당 성직자 등 기획자들은 방문하는 순례자뿐만 아니라 일반인이 늘어감에 따라 새로운 수용 공간의 필요성에서 현재의 오툉 대성당은 그 빛을 보게 되었다. 물리적인 요인에 따른 하드웨어 측면의 대성당 공간을 순례자와 일반인들이 선한 미덕의 삶을 통하여 그리스도의 구원의 은총과 사랑을 맛보게 하는 소명을 구현하기 위하여 성직자 등 기획자들은 고민했을 것이다.

특히 그 당시 글을 모르는 사람들이 많다는 요인은 소프트웨어 측면의 성화 프로

성당(Eglise St. Lazare)을 말하며 구 성당에 있던 라자로의 유골을 새 성당 성가대석으로 옮겨 정비가 완료된 시점은 1160~1170년대 이다.

그램을 마련하는 데에 있어서 절대적인 고려 요소로 작용한다. 성직자 등 기획자들은 텍스트 보다는 직감적으로 느끼고 인지하기가 용이한 시각적 이미지에 방점을 찍게 되었고 새로운 성당에 수많은 조각 도상을 통하여 이를 실현하게 된다. 이러한 도상의 장소적 배치는 성당 입구에서부터 시작하여 전례 공간이며 라자로의 유골이 있는 성당 내부에서 그 절정을 이룬다.

성당의 버팀목 역할을 하는 많은 기둥의 머리 부분은 그리스-로마 시대에서도 활발한 도상이 조각된 장소이어서 익숙함과 정보의 습득이 용이하였을 뿐만 아니라 당시의 이민족의 잦은 출현에 따른 훼손의 걱정도 덜 수 있었다. 그러나 무엇보다도 다채로운 성서의 이야기를 펼치는데 있어서 많은 주두의 공간은 절대적이었을 것이다.

이러한 배경 속에서 탄생한 성 라자르 대성당의 많은 주두 도상은 성서 이야기가 주된 테마(theme)를 이루고 있으나 그 표현에 있어서 그리고 주변 소재 선택에 있어서 당시의 신학적, 사회적, 문화적 측면의 복합적인 시각과 사고가 구현되어 있다.

순례문화가 활발히 시작되었던 로마네스크 시대의 대표적인 순례교회로서 성 라자르 대성당이 기획한 성화 프로그램은 성당 내부 주두 도상을 통하여 실현되었고 동시대의 교회 신앙을 엿 볼 수 있는 단초를 제공하고 있는 주두 도상의 전체적인 서사적 구성과 각각의 도상들에 대한 분석을 통하여 성 라자르 대성당의 성화 프로그램은 현재에도 유효함을 알 수 있다.

II. 오툉 성 라자르 대성당과 로마네스크 시대의 성화 프로그램

오툉 성 라자르 대성당은 수많은 우여곡절의 시간들을 간직한 애틋한 성지순례 교회이다. 970년경 마르세이유 제라드(Gerard) 주교시절 엑상프로방스(Aix-en-Province) 라자로 유골 일부를 오툉 성당이 획득했다고 전해진다.[3] 그 당시에는 이를

---

3) 프랑스 부르고뉴의 로마 예술 전문 사이트(www.bourgogneromane.com)에서는 이 유골은 4세기 마르세이유 주교 였던 St. Lazarus였는데 시간이 지나면서 막달라 마리아(정확히

라자로의 유골이라고 확신하여 성당(Eglise St. Nazaire; 구 성당)에 안치했고 순례자들이 몰려들자 1120년 에티엔느 드 바쥬(Etienne de Bage) 주교는 구 성당 바로 앞에 새로운 성당 건축을 시작하여 1130년 새 성당(Eglise St. Lazare; 현재의 오툉 성 라자르 대성당)이 교황 이노센트 2세 참석 하에 봉헌되었다.

1146년에는 대부분 완공이 되어 새 성당으로 라자로의 유골을 옮겼으나 성가대석에 위치한 라자로의 유골 안치 정비는 1160~1170년대에야 완성된다. 1195년 오툉 성 라자르 구 성당과 새 성당은 오툉교구의 공동 대성성이 되었고 13세기말 천장을 지탱하기 위하여 외벽에 플라잉 버트리스(flying butress)가 설치되었다.

로마네스크 시대의 정점에서 소박하고 담백함을 나타냈던 새 성당은 예기치 않은 변화를 맞게 된다. 1469년 낙뢰로 종탑은 파괴되고 성가대석도 심하게 손상을 입게 되자 장 롤랭(Jean Rolin) 추기경에 의해 플랑부아양(flamboyant) 양식으로 복구되었다. 15세기 말에서 16세기 초에 걸쳐 네이브(身廊, nave) 외벽에 사이드 채플(side chapel)을 마련하였고 1699년 구 성당의 천장이 무너지면서 1720년 현재의 새 성당은 단독으로 대성당이 되었다.

인간의 성화 의지로 지워진 새 성당인 현재의 성 라자르 대성당은 인간의 무지와 폭력으로 일대 사라질 위기를 맞이하게 된다. 1766년 의전사제단(Chapter of Canons)은 중대한 결정을 내린다. 서쪽 파사드(facad) 팀파눔(tympanum) 조각이 너무 평범하고 추해 보인다는 이유로 팀파눔 전체를 회반죽으로 칠해 버렸으며 이때 예수와 성모 얼굴은 튀어 나와 깎아내림과 아울러 아치볼트(arch vault)에 조각된 장로상은 전부 떼어 내었다.

또한 '다시 살아난 라자로' 조각이 있던 북쪽 트란셉트(transept) 포탈(portal)의 팀파눔을 완전히 파괴하고 '이브의 유혹' 조각이 있는 린텔(lintel)마저도 제거해 버렸으며 라자로의 유골 안치 묘도 훼손되었다.

고초의 시간을 겪은 대성당은 새롭게 얼굴을 드러내게 된다. 1837년 대수도원장

는 베다니의 마리아)의 오빠인 라자로라고 믿게 된 것이라고 표현하고 있다. 또한, 베즐레 수도원 성당(Abbeye Sante-Marie-Madeleine de Vezelay)이 막달라 마리아의 유골을 획득한 이야기와 맥락을 같이한다.

드보끄(Devoucoux)가 서쪽 파사드 팀파눔에 칠해진 회반죽을 제거하자 '최후의 심판' 조각상은 그대로 모습을 드러내었다. 1840년 역사적 건축물로 지정되어 노틀담 대성당을 25년간이나 보수 감독을 한 비올레 레 둑(Eugene Viollet-le-Duc: 1814-1879)의 도움으로 제 3 클뤼니(Cluny) 수도원의 축소판인 파레 르 모니알(Paray-le-Monial)성당을 참조하여 서쪽 탑을 재건하고 성가대석에 스테인드글라스를 설치하였다. 이러한 보수는 1886년까지 계속되었다. 팀파눔의 예수 머리는 박물관에 보관되다가 1948년 원상복구 되었으나 성모상 머리는 아직도 훼손된 채로 있으며 북쪽 팀파눔 린텔의 '이브의 유혹'은 성당 바로 앞 박물관에 전시되어 있다. [4]

네이브(身廊, nave)   네이브 상층부   성가대(choir)

　　1146년 완공 당시의 성 라자르 대성당은 전형적인 로마네스크 건축 및 미술 양식을 담고 있었다. 시기상으로도 로마네스크 양식이 가장 정점에 있는 12세기 중엽일 뿐만 아니라 그리스와 로마의 양식을 기본으로 하면서 여러 민족의 문화적 특성이 혼합된 특징을 가지고 있는 전형적인 로마네스크 시대의 양식적 요소들을 볼 수 있기 때문이다.

---

4) 부르고뉴 로마 예술(L'Art Roman en Bourgogne) 사이트 : http://www.bourgogneromane. com/edifices/autun.htm-Historique

성화(聖化) 프로그램 관점에서의 주두(柱頭) 도상(圖像)에 대한 연구

로마네스크 시대는 본격적인 성지순례가 시작되고 교회의 성화 프로그램이 출발된 시기이기도 하다. 또한 다양한 문화가 교류하여 새로운 문화를 창출하고 또 다른 시대로의 준비를 할 수 있는 기반을 제공한 시대이다.

서유럽에 형성된 새로운 지배 세력은 지속적이고 안정적인 체제를 유지하기 위하여 기존 사회의 여러 구조를 재편성할 필요성이 절대적이었고 이에 대한 핵심 방편은 중세 오랜 전쟁의 화염 속에서도 기존의 문명 즉, 고대 그리스-로마 문화를 보유하고 있었던 그리스도 교회의 활용이었다.

교회 세력을 통한 공식적인 지배 세력으로서의 인정이 정당성을 부여하였으며 반대급부적으로 교회 세력은 지배 세력의 보호를 받을 수 있게 된 것이다. 이렇게 지배 세력과 교회 세력은 서로의 필요성에 의해서 관계를 유지하면서도 이해관계의 경중(輕重)에 따라서 팽팽한 긴장감을 유지하였다. 이 두 세력은 나름의 체제를 안정, 지속시키기 위하여 내부적 위계질서 체제가 필요하였고 이에 따라 지배 세력이 확립한 수단이 봉건제(封建制, Feudalism)였으며 교회 세력은 교황, 주교, 하급 성직자, 평신도로 상하 조직 체계를 구축하게 된다.

점차적으로 안정을 찾아가고 있던 중세 서유럽 지역은 성지순례를 통해서 천국으로의 여정에 동참할 수 있다는 분위기가 팽배하기 시작하였다. 이에 따라 지배 세력의 보호를 받은 교회 세력은 자신들이 정당성을 부여한 지배 세력의 안정적 유지를 위한 수단이 필요하게 되었다. 뿐만 아니라 지배 세력에 대한 우위를 점하기 위하여 순례자는 물론 일반인에게도 그리스도 신앙의 절대성을 확립하기 위한 성화 프로그램이 절실하였던 것이다.

교회 세력의 성화 프로그램의 목표는 사람들의 유입(誘入)과 교화(敎化)였다. 유입의 측면에서, 많은 순례자와 일반인들의 방문을 확보하기 위하여 성인의 유골 또는 유물이 있는 교회를 죽음을 맞기 전에 방문하여야 한다는 필연성을 피력하였고 그러기 위해서 진위(眞僞) 검증 없는 성인의 유골 또는 유물에 대한 획득과 교황으로부터의 공식 인정의 절차가 필요했던 것이다. 교화의 측면에서는 방문객들의 문맹률이 높고 여러 민족들임을 감안하여 양식적인 측면에서 텍스트 보다는 이미지, 내용적인 측면에서 성서 내용을 기본으로 하면서도 효과적인 성화 프로그램의 도출을 위하여 스토리텔링(storytelling)을 구성하기 용이한 고대 그리스-로마와 여러 민족, 특히 지배 세력의 신화(神話)적인 내용을 이미지에 담아낼 필요가 있었다.

중세 서유럽의 오랜 혼란 속에서도 나름의 고대 그리스-로마의 문화를 보유하고 있었던 수도회는 순례교회 건립에 관여하게 되었고 자연스럽게 그들이 이미 알고 있는 고대 그리스-로마 건축 양식에 그 당시 시대적 상황을 고려한 로마네스크 양식의 교회를 탄생시키게 된다.

로마네스크 시대의 교회 양식은 고대 그리스-로마 건축 양식에 뿌리를 둔 바실리카 양식을 기본으로 하되 그 당시 신앙적, 사회적, 문화적 상황 등을 고려하여 외부의 화려함 보다는 내부 구성 및 배치에 주안점을 두었다. 필연적으로 내부 디자인이 성화 프로그램의 핵심으로 자리 잡았던 것이다.

로마네스크 시대의 정점에서 탄생한 성 라자르 대성당 또한 이러한 시대적 배경 속에서 성당 내부의 디자인을 통한 성화 프로그램을 진행하였다. 성당 내부 구조에 있어서 도상을 통한 교화를 위해서 가장 알맞은 공간은 로마네스크 건축 양식에 있어서 대표적인 특징인 아치 형태를 지탱하는 수많은 기둥들이었다. 그러한 기둥들에서 좀처럼 훼손의 확률이 적으면서도 시각적으로 경외심을 느낄 수 있는 주두가 눈에 들어온 것은 당연했을 것이다.

성 라자르 대성당의 주두 도상은 이러한 시대적 상황의 배경 속에서 성화 프로그램의 중심적 역할을 반영하여 그 모습을 세상에 드러내게 된 것이다.

III. 성화 프로그램 관점에서의 주두 도상에 대한 연구

성 라자르 대성당(신 성당)은 성지순례자들이 넘쳐나서 구 성당이 감당하기에는 한계가 있음을 실감하여 이에 대한 대책으로 3차 클뤼니 수도원을 참조하여 건립되었다. 성직자 등 기획자들은 건립을 위한 기획 단계에서부터 유입되는 순례자들과 일반인들의 교화를 위하여 어떠한 디자인을 해야 할 지에 대하여 고민을 하였을 것이다. 이에 대한 해결 방안은 방식에 있어서 문자가 아닌 도상으로, 위치는 성당 입구의 팀파눔과 내부 주두로 귀결되었다. 다음 단계로서 어떠한 내용의 도상을 구성할 것인가이다.

원시 시대의 동굴 벽화에서부터 현재의 디지털 아트에 이르기까지 건축, 미술, 음악, 문학 등 문화 전반에는 동시대의 상황적 배경 요소가 형식은 물론이거니와 내용에도 절대적인 영향을 미친다.

성 라자르 대성당 내부 주두 도상의 내용을 설정함에 있어서도 그 당시의 시대적 흐름과 의도가 반영되어 성서와 관련된 내용을 주된 소재로 하면서도 효과적인 성화 프로그램을 추진하기 위한 선택은 스토리텔링 구성과 상징적 표현이었다. 이를 위해서 고대 그리스-로마와 여러 민족, 특히 지배 세력의 신화적 내용과 당대 대표적 조각가인 질르베르투스(Gislebertus)의 담백하면서도 초현실적 표현 기법이 필요했던 것이다.

이렇게 세상의 빛을 보게 된 성 라자르 대성당 내부 주두 도상은 순례자들에게는 전례를 드리기 위하여 제대(祭臺)로 향하는 시간 속에서 그리스도 신앙에 대한 심화(深化)를 꾀하는 역할을 하게 되었고 성서 관련 내용뿐만 아니라 드라마틱한 스토리텔링이 존재하는 신화적인 소재를 통하여 일반인들에게는 좀 더 친숙하게 그리스도 신앙에 대한 관심과 믿음의 모티브를 제공하는 역할을 하게 되었다.

1. 성 라자르 대성당 내부 주두 배치 및 테마

성 라자르 대성당 내부 기둥들은 일정한 간격을 유지하면서 신랑과 교차랑 그리고 회랑과 성가대의 아치 석조들을 떠받치고 있다. 주두에 부조 양식으로 표현된 도상들은 테마 별로 일관된 집합체를 구성하지 않고 무질서하게 뒤섞여 있다. 이러한 배치는 순례교회로써 건립되었기는 하지만 근본적으로 전례공간으로서의 기능을 중시하여 테마 별로 집합 구성을 하기 보다는 여러 테마의 도상들을 일정한 공간 별로 배분함으로써 다채로운 시각적 효과를 얻을 수 있다는 성직자 등 기획자의 의도를 추정할 수 있다.

수많은 주두 도상들 가운데에서 성 라자드 대성당의 성화 프로그램 관점에 주요한 도상들을 네이브에서 오른쪽 방향으로의 동선(動線)을 따라서 살펴보면 다음과 같다.

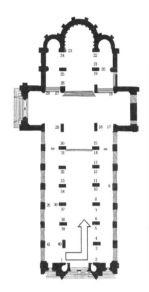

1. 악마와 뱀 Devil and Snake	22. 그리스도와 첫 번째 유혹 First Temptation of Christ
2. 악마와 괴물 Devil and Beast	23. 천국의 강물 Rivers of Paradise
3. 그리폰 Griffon	24. 엠마우스의 그리스도 Christ at Emmaus
4. 성 빈센트와 까마귀 St. Vincent and Ravens	25. 이집트로의 피신 Flight into Egypt
5. 네부카드네자르 왕의 꿈 Dream of Nebuchadnezzar	26. 동방박사의 꿈 Dream of the Magi
6. 시몬 마구스의 추락 Fall of Simon Magus	27. 헤로드왕과 동방박사 Magi before Herod
7. 시몬 마구스의 비행 Flight of Simon Magus	28. 동방박사의 경배 Adoration of the Magi
8. 다윗과 찬양 음악 Tone of Music	29. 교회 봉헌 Presentation of Church
9. 모세와 황금송아지 Moses and Golden calf	30. 카인의 죽음 Death of Cain
10. 발 씻킴 예식 Washing of the Feet	31. 이새의 나무 Jesse Tree
11. 삼손과 사자 Samson and the Lion	32. 나를 만지지 말라 Noli Me Tangere
12. 돌을 맞고 있는 스테파노 Stoning of St.Stephen	33. 사자 굴의 다니엘 Daniel in the Lion's Den
13. 삼손의 죽음 Death of Samson	34. 그리스도와 두 번째 유혹 Second Temptation of Christ
14. 노아의 방주 Noah's Ark	35. 닭 싸움 Cock Fight
15. 미덕과 악덕 Virtues and Vices	36. 바오로의 개종 Conversion of Paul
16. 카인에게 질문하는 하느님 God and Cain	37. 베드로 석방 Liberation of St. Peter
17. 유다의 자살 Suicide of Judas	38. 용광로와 세 명의 히브리인 Three Hebrews in the Furnace
18. 바실리스크와의 전투 Fight with Basilisk	
19. 삼두조 Three-Headed Bird	39. 안나의 수태 Annunciation to St. Anne
20. 새를 타고 있는 남자 Man Riding Bird	40. 아브라함의 봉헌 Sacrifice of Abraham
21. 황제 콘스탄틴 Constantine	41. 그리스도 탄생 Nativity

성 라자르 대성당 서쪽 파사드 포탈의 중앙 팀파눔[5]에는 '최후의 심판'에 대한 내용으로 도상이 표현되어 있다. 팀파눔 가운데에 예수를 둘러싼 만돌라(mandorla) 테두리에는 라틴어로 다음과 같은 문구가 새겨져 있다. "OMNIA DISPONO SOLUS MERITOSQUE CORONO / QUOS SCELUS EXERCET ME IUDICE PENA COERCET" 즉, "나는 참된 믿음 있는 자에게는 관을 씌어 주겠고, 죄 지은 자들에게는 심판에 의해 벌을 내릴 것이다"문구를 통한 두려움과 묵직함은 매우 자애롭고 양 팔을 넓게 펴서 모든 인간을 다 품에 안을 듯하게 조각된 예수의 모습에서 희망과 사랑으로 바뀌게 된다.

이를 통하여 성 라자르 대성당 성화 프로그램의 중심에는 죄와 벌이 아니라 그리스도 신앙을 통하여 선함과 천국으로 함께 힘차게 가고자하는 믿음과 희망이 자리

---

5) 클뤼니 수도원 성당과 베즐레 수도원 성당의 아치볼트와 주두 조각에 참여한 질르베르투스 (Gislebertus)가 대략 1125~1145년에 사이에 조각한 것으로 팀파눔 중앙에 표현된 예수 발 아래 밴드에 그의 이름이 새겨져 있다("GISLEBERTUS HOC FECIT", 질르베르투스가 이것을 만들었다). 1125년에 오툉 라자르 대성당 조각 작업을 맡으면서 성당 내 일부 주두 도상과 북쪽 팀파눔의 '이브의 유혹' 등을 남겼다.

잡고 있음을 알 수가 있다. 풍부한 스토리텔링을 위하여 고대 그리스-로마와 지배 세력의 문화에서 신화적인 소재를 반영하였고 빛이 아닌 어둠, 환희와 희망이 아닌 두려움 그리고 위와 중앙이 아닌 아래와 주변을 의미하는 악역의 도상들에게도 극(劇)적인 미(美)적 생명력을 부여하고 있다.

2. 선과 악의 주변 무대(舞臺)적 장치

성 라자르 대성당은 주두 도상을 통한 성화 프로그램을 위하여 성당 내부의 전체적인 배경을 선과 악의 구조로 삼고 있다. 그러나 악의 도상들은 대립적인 위치를 차지하고 있지만 선을 위한 조연(助演)의 역할을 하고 있을 뿐이다.

이러한 선과 악의 모티브를 성직자 등 기획자들은 수도원에서 도상이나 이야기를 파악할 수 있는 자료가 있는 내용 가운데에서 선별하였고 인구(人口)에 회자(膾炙)가 되어 친숙한 신화적인 소재와 자연적인 대상을 선택하였다. 선택된 도상과 이야기는 원형에서 변형을 시키고 조각으로 표현함에 있어서 생생함을 불어 넣어 극적인 대립 효과의 극대화를 통한 그리스도 신앙심을 고취(高趣)하고 관심의 유발을 최대한 끌어 올리려 하였다.

선과 악의 주변 무대적 장치의 대명제(大命題)적 역할을 하는 미덕과 악덕 도상은 탐욕과 분노를 대표적인 악의 속성으로 표현하면서 그리스도를 통한 사랑과 인내로 극복하자는 궁극적인 사고와 실천의 메시지를 표현하고 있다. 고대 그리스-로마시대부터 주두 장식에 널리 활용되었던 아칸서스 잎의 문양이 좌우 하단의 악덕을 밟고 있는 미덕과 조화로운 배경으로 조각되어 있다.

미덕과 악덕(Virtues and Vices #15)　　　　　닭싸움(Cock Fight #35)

‘미덕과 악덕’과 같이 선과 악의 대립 구조 속에서 선의 승리를 희망하는 차원의 도상이 네이브(nave) 하단 필러스터(pilaster)에 닭싸움의 소재로 표현되어 있다. 닭싸움은 고대 로마시대부터 대립적인 주체나 상황을 묘사하기 위하여 사용되었던 모티브이었다. 선을 의미하는 닭이 악을 의미하는 반대편 닭을 쪼고 있는 형상과 함께 옆에 있는 닭 주인들의 얼굴 표현 속에서 선을 통한 환희와 악을 대변하는 절규의 디테일을 느낄 수 있다.

악마와 뱀(Devil and Snake #1)   악마와 괴물(Devil and Beast #2)

위치상으로 성가대에서 정반대편이며 네이브 최 하단에 배치되어 있는 악마와 뱀과 악마와 괴물은 성당 입구에서 처음 맞닥뜨리게 되는 도상들이다.

악마와 뱀 도상에서는 흉측한 악마의 입으로 커다란 뱀이 들어가는 형상을 하고 있고 악마와 괴물에서는 괴상한 동물을 탄 악마가 커다란 포크 모양의 무기로 나체의 사람을 포획하는 형상을 하고 있다. 이러한 도상을 네이브 초입에 배치한 것은 서편 파사드 ‘최후의 심판’ 팀파눔의 구성과 배치의 의도가 그러하듯이 성당에 들어오는 순례자나 일반인들의 회개가 그리스도 신앙에 있어서 출발점이 되어야 한다는 것을 강조하기 위한 것이다.

이렇듯 성 라자르 대성당 성화 프로그램은 우리의 마음속에 그리고 주변 환경 속에 항상 선과 악이 존재하며 우리의 삶의 선은 회개에서부터 시작한다는 것을 선과 악을 형상화한 주두 도상들의 표현과 배치 장소를 통해서 말하고 있다.

3. 악덕을 이기는 미덕에 대한 상징적 표현

오툉 대성당의 성화 프로그램은 신화적인 모티브로 선과 악의 대립적 구조를 장치함과 더불어 궁극적으로 미덕이 악덕을 이기는 도상을 통하여 순례자나 일반인들에게 희망을 불어 넣어줄 필요가 있었다.

그리폰
(Griffon #3)

바실리스크와의 싸움
(Fight with Basilisk #18)

새를 타고 있는 남자
(Man Riding Bird #20)

그리폰, 바실리스크와의 싸움과 새를 타고 있는 남자는 고대 그리스-로마 신화와 지배 세력의 오랜 신화에서 나오는 모티브를 바탕으로 하여 상상의 동물과 인간을 대립시켜 형상화하고 있다.

전설의 동물 그리폰의 배를 밑에서 찌르고 거대한 새를 난쟁이가 올라타서 목을 향해서 칼을 겨눈다. 그리고 그리스어로 작은 왕의 의미를 가지고 있으며 고대 그리스-로마 시대부터 건축적 미술적 모티브로 많이 등장하는 바실리스크에게 두 명의 남자가 앞과 뒤에서 공격하고 있고 바실리스크 바로 면전에서 켄타우로스(Centaur)가 활을 쏘고 있다.

거대한 새의 등 위에서 칼을 겨누고 있는 난쟁이가 새의 수염을 잡고 있는 형상에서 수염을 잡힌 새를 단순히 악덕의 역할을 위해서 차용한 것인지 아니면 좀 더 해석의 폭을 넓혀 그리스도를 죽음으로 몰고 간 기존 기득권 세력까지 상징적으로 포섭한 것인지 상상력을 펼칠 수 있는 기회를 제공하고 있다.

4. 카인(Cain)에게서 원죄(原罪)의 지속성과 죽음을 보다.

성 라자드 대성당은 회개를 하지 않는 삶, 선한 미덕이 악덕을 이기는 삶이 아니면 종국에는 죄의 끊임없는 연속성 속의 죽음을 맞이할 수밖에 없다는 메시지를 카인과 아벨에 대한 성서 이야기를 통하여 풍성한 인간의 원죄에 대한 분위기를 형성하고 있다.

카인에게 질문하는 하느님(God and Cain #16)

카인은 들고 있는 둔기로 아벨의 머리를 내리쳐 아벨의 얼굴 형상은 윤곽을 알아볼 수 없게 조각되어 있다. 수풀 사이로 아벨의 다리가 나오게 표현하여 하느님께서 이미 카인이 아벨을 죽였음을 인지하면서도 카인에게 아벨의 행적을 물어보는 상징적 구성을 하고 있다.

카인의 죽음(Death of Cain)
베즐레 성 마리아 마들레느 성당

카인의 죽음(Death of Cain #30)
오텅 성 라자르 대성당

인류 최조의 살인의 죄를 저지른 카인은 유랑의 벌을 받아 에덴의 동쪽으로 쫓겨나면서도 복수의 연속을 끊기 위하여 하느님께서는 카인에게 해를 끼치지 못하도록 표식을 부여하신다. 그러나 인간이 저지른 원죄의 지속성은 이러한 하느님의 자비를 외면하고 카인은 최후의 종말을 맞이한다. 카인의 죽음 주두 도상에서 창세기 4절 야훼계 족보를 기준으로 볼 때 카인의 7대 후손인 라멕이 아들인 투발 카인의 도움을 받아 숲속에서 사냥을 하는데 활이 관통한 대상은 짐승이 아닌 카인으로 표현되어 있다.

고대 전승에 따라서 도상에는 라멕이 눈 먼 소경으로 표현되어 있으며 아들인 투발 카인이 활시위를 도와주는 형상을 하고 있다. 흥미로운 점은 성 라자르 대성당 도상 기획을 맡기 전 질르베르투스가 도상 작업을 한 베즐레 성 마리아 마들레느 성당의 동일한 테마의 도상에는 라멕의 화살이 카인을 겨누고 있는 상황을 표현하고 있는데 반해서 성 라자르 대성당 주두에서는 카인의 목에 활이 관통해 있는 모습을 보이고 있어 카인의 죽음과 라멕의 오만함과 잔혹함 그리고 하느님의 심판도 두려워하지 않는 인간타락의 정점에 대한 테마를 생생하게 구성하고 있다는 것이다.

5. 말씀과 믿음을 지킨 자와 외면한 자에 대한 이야기

성화 프로그램은 하느님 말씀과 믿음을 지킨 자와 그러지 못한 자들에 대한 이야기를 통한 그리스도교에 대한 믿음을 공고히 하기 위하여 구약의 테마 가운데에서 흥미진진한 소재를 선택하게 된다.

노아의 방주
(Noah's Ark #1)

아브라함의 봉헌
(Sacrifice of Abraham[6] #40)

성 라자르 대성당 성화 프로그램은 노아의 방주를 통해 하느님 말씀에 대한 믿음을 통하여 구원의 예표를 이야기하려고 하였다. 또한 홍수를 통하여 죄를 씻고 새로운 삶을 시작하는 거룩한 세례에 대한 도상학적 표현이다.

아브라함의 봉헌은 사랑하는 아들 이삭을 하느님의 제물로 바치려는 아브라함의 모습이 표현되어 있다. 하느님 말씀에 대한 절대적인 믿음과 실천을 강조하기 위해서 다른 도상보다도 성직자등 기획자 입장에서는 우선적으로 선택하였을 것이다.

모세와 금송아지　　　　　　　　빈센트 성인과 까마귀
(Moses and Golden calf #9)　　　(St. Vincent and the Ravens #4)

모세와 금송아지는 하느님의 계명판을 가진 모세가 금송아지를 치자 징그럽고도 거대한 악마가 나오는 이야기를 투박하지만 이해하기 쉽게 표현하고 있다.

빈센트 성인과 까마귀 주두는 빈센트 성인이 두 마리의 까마귀 보호를 받고 있음을 표현하고 있다. 성경을 불사르면 목숨을 살려주겠다는 다시안 총독의 유혹에도 너무나도 명료하고 당당하게 하느님에 대한 불신은 할 수 없다며 인간으로 건디기 힘든 고문을 당하여 결국 죽음을 맞이하는 청년 빈센트 사제, 독수리의 밥이 되도록 들에 버려진 그의 시체를 까마귀들이 보호를 해주어 사람들이 시체를 수습할 수 있었다고 한다.

도상 중앙에 곧게 하늘 높이 뻗은 나무는 그의 깊은 신앙심과 천국에서의 부활을 상징한다고 하겠다.

---

6) 창세기 22장 1-19

삼손과 사자
(Samson and the Lion[7] #11)

삼손의 죽음
(Death of Samson[8] #13)

삼손과 사자 주두 도상은 그리스도교인의 힘을 나타내는 것으로 삼손이 사자를 마치 순한 양을 다루는 듯 한 모습을 하고 있다. 사자의 갈기의 세밀한 떨림이 인상적이다.

그러나 삼손의 최후는 악의 유혹에 무너진 방탕한 인간의 마지막을 예견하듯이 타락의 산물과 함께 비극적인 죽음으로 끝나고 만다.

용광로와 세 명의 히브리인
(Three Hebrews in the Furnace #38)

사자 굴의 다니엘
(Daniel in the Lion's Den[9] #33)

---

7) 판관기 14장 5절
8) 판관기 16장 28-30
9) 다니엘 14장 31-42

네부카드네자르 바빌론 임금을 묘사한 상에 절하기를 거부한 히브리 청년들, 하난야, 미사엘, 아자르야의 우상 숭배에 대한 하느님 말씀을 지킨 그 믿음으로 용광로의 화염 속에서도 살아난다. 세 명의 청년을 아래에서 휘감고 있는 화염의 조각 표현이 뜨겁게 느껴지는 가운데 하느님의 보호가 위에서 그들을 감싸고 있다.

사자 굴의 다니엘은 사자굴 속에 앉아있는 다니엘을 표현한 것으로 그리스도교 신앙에 있어서 절대적인 믿음을 표현하는 대표적 테마이며 다니엘에 대한 스토리텔링은 현재와 마찬가지로 당시의 순례자 및 일반인들의 신앙심을 고취시키기에 충분한 내용을 지니고 있다.

6. 그리스도에 대한 서사적 구성

성 라자르 대성당 성화 프로그램은 주두 도상을 통한 스토리텔링을 구성함에 있어 본론적인 부분을 예수의 일대기에서 출발하고 있다.

예수의 일대기 가운데 스토리텔링을 구성하기에 풍부한 테마를 취사선택하면서 예수에 대한 정당성과 합당성 그리고 유혹에 대한 승리와 예수의 사랑을 돋보이는 소재로 주두 도상을 구현하고 있다.

이새의 나무(Jesse Tree #31)

안나의 수태(Annunciation to St. Anne #39)

"이사이의 그루터기에서 햇순이 돋아나고 그 뿌리에서 새싹이 움트리라. 그 위에 주님의 영이 머무르리니 지혜와 슬기의 영, 경륜과 용맹의 영, 지식의 영과 주님을

경외함이다."(이사 11,1-2)

이새의 나무는 예수의 가계도를 표현한 것으로 커다란 잎의 종려나무가 전체 구도의 틀을 풍성하게 형성하고 있다. 종려나무 열매를 두 손으로 조심스럽게 들고 있는 두 사람은 마치 앞에 누군가가 있는 듯 한껏 멋진 자세를 취하면서 시선은 앞의 관찰자와 눈을 마주치고 있는 듯 하다.

나무는 자연과 풍성함을 의미한다. 물가에 심어져 가뭄에도 잎사귀가 마르지 않고 늘 푸르른 나무에 대한 묘사에서처럼 생명의 상징이 된다. 그래서인지 내부 주두 이미지에 유난히 나무들의 형상이 많이 보인다.

성모 마리아의 어머니인 안나에 대한 경외심은 트리엔트 공의회가 외경에 나오는 테마를 소재로 하는 미술 제작에 제재를 가하기 전까지 많은 미술 작품을 통해서 표현되리만큼 상당하였다. 안나에게 가브리엘 천사가 아이를 낳게 될 것을 알리며 낳은 아이는 온전히 주님께 봉헌되리라는 예언을 하고 있는 모습 속에서 기뻐 어찌할 줄 모르는 안나의 표정과 손동작이 실감있게 표현되어 있다. 문 밖에서 엿 듣고 있는 남성은 안나의 남편 요아킴으로 보인다.

그리스도 탄생(Nativity[10] #41)

그리스도 탄생 주두 도상은 아기예수의 탄생을 묘사하고 있는 장면으로 성모 마리아는 누워있으면서도 사랑스럽게 아기예수를 향해서 왼팔을 뻗고 있는 가운데 요셉이 아기예수를 씻기고 있는 모습을 하고 있다. 요셉이 아기예수를 씻기는 형상은 세례를 통한 새로운 생명을 부여 받음을 의미하며 중앙과 주변에 성모 마리아를 상징하는 장미꽃이 아름답게 배치를 하고 있다.

동방박사의 꿈 주두 도상은 왕 중의 왕이신 메시아를 뵈러 가기 위한 안내자의 역할을 하는 별에 대한 이야기와 헤로드 왕에게 돌아가지 말라는 꿈속의 천사에 대한 이야기를 중첩적으로 표현하고 있다.

10) 루카 2장 7

동방박사의 꿈
(Dream of the Magi[11] #26)

동방박사의 경배
(Adoration of the Magi[12] #28)

세 명의 동방박사는 왕관을 쓴 채로 잠들어 있어 예수가 왕 중의 왕임을 강조하고 있으며 이불의 우아한 원형과 천사의 얼굴 그리고 늘어진 소매의 부드러움과 날개의 조화가 아름답게 표현되어 있다. 천사의 왼손은 베들레헴으로 안내하는 별을 가리키고 있는 가운데 천사의 오른 손은 살포시 동방박사를 깨우고 있다. 곧 사랑스러운 천사의 손가락 느낌을 받으며 동방박사 한 명은 눈을 뜨고 깨어있는 모습을 하고 있다.

"그리고 그 집에 들어가 어머니 마리아와 함께 있는 아기를 보고 땅에 엎드려 경배하였다. 또 보물 상자를 열고 아기에게 황금과 유향과 몰약을 예물로 드렸다."(마태 2,11)

전승에 의하면 동방박사 세 명의 이름은 발타사르(Balthasar), 가스파르(Caspar), 멜키오르(Melchior)로 각 아프리카인, 아시아인 그리고 유럽인을 묘사한다고 전해지고 있다.

동방박사 중 가장 젊은 얼굴로 표현된 한 명이 머리에 한 손을 얹고 매우 난감한 표정을 짓고 있는 것으로 해석해 볼 때 무릎을 꿇은 동방박사가 아기예수께 바치는 선물은 몰약으로 해석할 수가 있다. 몰약은 죽음을 통한 희생으로 새로운 생명과 구원의 은총을 상징하고 있으므로 기꺼이 몰약을 받아들이는 아기예수의 모습 속에서 옆에 있는 젊은 동방박사는 머리에 손을 얹은 표현으로 매우 안타까운 심정을

---

11) 마태 2장 7-12
12) 마태 2장 11

이집트로의 피난(Flight into Egypt[13] #25)

나타내고 있다.

섬세하면서도 풍부한 표현이 많은 성 라자르 대성당 주두 도상들 가운데에서도 가장 생생하고 아름답게 조각된 작품으로 손꼽히는 이집트로의 도피는 예수가 사람의 아들로 태어나 겪는 최초의 고난이다. 또한 이집트라는 장소는 예수와 모세를 이어주는 접점으로 다시 이스라엘로 돌아오는 아기 예수는 이스라엘 민족을 해방으로 이끈 모세처럼 인류를 구원할 메시아임을 유형학(Typology)적으로 암시한다.

나귀와 성가족과 나무만으로 매우 압축적으로 피신을 표현하고 있다. 배경에 등장하는 이 나무는 야자수의 일종인 종려나무로 피신도중에 일어나는 기적 이야기와 관련이 있다. 사막을 지나던 성가족은 물이 떨어져 가고 있었는데, 마리아가 종려나무를 발견하고 그 열매를 따고자 했으나 손이 닿지를 않았다. 이 때 아기 예수가 종려나무가 구부러지도록 명령하여 마리아가 열매를 딸 수 있었다고 한다.

마리아의 왼손에 그들의 목을 축여준 종려나무열매가 묘사되어 있다. 그래서인지 이 도상에 묘사된 이들의 표정은 여유로워 보인다. 마치 왕좌에 앉아 있는 듯한 마리아와 예수는 고요함과 편안함을 느낄 수 있지만, 당나귀 잡고 가는 요셉의 얼굴은 큰 숨을 들이쉬며 피로감을 느끼게 한다. 밑의 원반의 표현이 전체적으로 이집트로 지금 가고 있는 것처럼 활력과 움직임을 부여하고 있다.

---

13) 마태 2장 13-15

그리스도와 첫 번째 유혹
(First Temptation of Christ[14] #22)

그리스도와 두 번째 유혹
(Second Temptation of Christ[15] #34)

그리스도와 첫 번째 유혹 주두 도상에서 기획자는 인간은 빵만으로 살지 않으며 하느님의 말씀으로 살아간다 함을 이야기하고 있다. 사탄의 다리에는 뱀이 기어 올라가는 모습으로 후광이 있는 예수의 뒤에는 날개가 있는 천사의 모습이 보인다. 그 천사는 예수의 허리를 꼭 잡고 있다.

두 번째 유혹 주두 도상은 악마의 발밑에 원통형의 사원이 표현되어 있다. 그리스도의 옆에는 후광이 있는 천사가 있는 것처럼 보인다. 악마는 목에 핏대를 세우고 큰 소리로 그리스도에게 이야기하는 모습이다. 그리스도는 손가락으로 가리키며 단호한 얼굴을 하고 계신다. 두 번째 유혹은 기적 혹은 쇼맨십을 통한 종교행위에 대한 비판이 담겼다. 즉 놀라운 기적을 통한 신앙심의 고취에 대한 위험성을 경고하고 있는 것이다.

실제로 복음서를 보면 예수가 기적을 행하였어도 안 믿는 사람들은 안 믿었다. 심지어는 예수가 귀신을 쫓아내고 병자를 고치는 것도 귀신의 왕인 바알세붑(Baal-Zebub)의 힘을 빌려서 했다는 식의 비아냥거림까지 나왔던 판국 이었다. 설령 예수가 성전 꼭대기에서 뛰어내려서 아무 상처가 없었어도 모든 사람들이 예수를 메시아로 따르지는 않았을 것이다. 즉 신앙은 기적이나 쇼맨십 같은 것으론 일시적일 수밖에 없다는 것을 강조한 도상이라고 할 수 있다.

---

14) 마태 4장 1-11, 마르 1장 12-13, 루카 4장 1-13
15) 마태 14장 1-11, 마르 1장 12-13, 루카 4장 1-13

발 씻김 예식
(Washing of the Feet[16] #10)

나를 만지지 말라
(Noli Me Tangere #32)

엠마우스의 그리스도
(Christ at Emmaus[17] #24)

발 씻김 예식은 예수가 베드로의 발을 씻기고 있는 장면인데, 약간 흐릿한 이 장면은 질르베르투스의 작품은 아니다. 한 제자가 큰 수건을 들고 있고 다른 제자는 이 예식을 위해 발을 내밀고 있다. 예수는 베드로의 발을 씻으면서도 베드로의 얼굴을 바라보면서 사랑에 대해서 눈으로 말하는 것 같다.

나를 만지지 말라. 이 도상은 예수의 부활을 이야기하는 작품으로 왼쪽의 막달레나는 허리와 무릎을 굽히며 손을 아래로 뻗고 있고, 예수는 두 팔을 벌리고 고개를 숙여 막달레나를 내려다보는 다소 부자연스러운 자세이다. 그리스도의 뒤로는 성모의 이복 자매인 클레오파스의 마리아와 살로메의 마리아로 여겨지는 두 여인이 향유를 든 병을 가지고 무덤으로 다가가고 있다. 여인들 우측, 빈 무덤에는 천사가 앉아 있다.

너무나도 아름답고 서정적인 성서 속 테마인 엠마우스의 그리스도는 예수가 죽은 지 사흘째 날에 예루살렘에서 엠마우스로 좌절과 절망을 품고 돌아가는 순례자들에게 나타난 예수가 그들에게 희망과 용기의 메시지를 심어주는 내용을 담고 있다. 순례교회로서의 성 라자르 대성당 성화 프로그램에서 절대적으로 배치가 되어야 하는 테마이며 오늘날 우리의 힘든 인생의 여정 속에서 한 줄기 희망을 주는 이야기이기도 하다.

---

16) 요한 13장 5-12
17) 루카 24장 13-35, 마르 16장 12-13

7. 그리스도 안에 머문 자와 떠나간 자에 대한 최후의 심판

인간의 온갖 욕심, 오만 그리고 악의 유혹에 빠져 그리스도를 떠나간 군상들에 대한 최후의 심판은 영원한 죽음인 반면 온갖 시련 속에서도 그리스도 안에 머물고자 한 자들은 현실에서 또는 천국에서 주님의 은총과 보호를 받게 된다는 믿음을 순례자 및 일반인들에게 심어주기 위하여 성화 프로그램은 강한 인상의 테마를 선택하게 된다.

돌을 맞고 있는 스테파노	바오로의 개종	베드로 석방
(Stoning of St. Stephen[18] #12)	(Conversion of Paul[19] #36)	(Liberation of St. Peter[20] #37)

돌을 맞고 있는 스테파노의 주두 도상을 살펴보면 스테파노는 첫 번째 순교한 성인으로서 도상 가운데 머리에 돌을 맞고 웅크리고 있고, 악인들은 다른 돌을 던질 준비를 하고 있으며 스테파노 성인은 매우 평온한 모습으로 하늘로부터 그를 맞으러 온 천사에게 손을 내밀고 있다. 그리고 사람들이 돌을 던져 스테파노를 죽일 때 돌을 던지는 사람들의 겉옷을 맡아 주면서 스테파노에 대한 사형 집행의 증인을 표방하였던 사울이라는 청년이 바로 우리가 아는 바오로 사도이다.

바오로는 엄격한 유대교에 의하여 교육받고 바리새인으로 그리스도인을 탄압하기 위하여 다마스쿠스(Damascus)로 원정 도중 예수의 음성을 듣고 회심 하였다. 주두 도상에는 그리스도로부터 세례를 받는 모습으로 표현되어 있다.

---

18) 사도행전 7장 55-59
19) 사도행전 9장 1-18
20) 사도행전 4장 13-22

그의 참된 복음 전파를 위한 대원정으로 말미암아 교회는 보편적인 교회로 거듭나게 되었고 그리스도 신앙을 가장 깊이 이해한 충성스러운 사도였다.

베드로 석방 주두 도상은 감옥 속에서 목에 줄을 걸고 앉아있는 베드로에게 한 천사가 나타나 출구를 가리키고 있다. 이는 석방 된 후 베드로가 다시 전도를 하기 시작하며 교회의 설립이 시작됨을 이야기하고 있다.

유다의 자살
(Suicide of Judas[21] #17)

시몬 마구스의 비행
(Flight of Simon Magus #7)

시몬 마구스의 추락
(Fall of Simon Magus #6)

유다의 자살에서 유다는 알몸의 상태로 나무에 매달린다. 이 도상에서는 고통과 공포를 느낄 수 있다. 두 악마는 그의 목에 끈을 달고 양쪽을 잡고 분리한다. 아래의 악마는 유다와 같이 비명을 지르며 메아리가 울리는 듯한 분위기를 자아낸다. 이 주두 도상을 통하여 성화 프로그램은 인간의 욕망으로 인하여 그리스도를 떠난 자의 결말은 영원한 죽음일 뿐이라는 사실을 이야기하려 한다.

시몬 마구스의 비행은 마술사 시몬 마구스의 이야기로 시몬 마구스는 베드로 성인에게 기적을 일으키는 비밀을 사려고 하나 베드로 성인은 이를 거절한다. 그러자 시몬은 자기의 우월함을 보여주기 위하여 다리와 팔에 날개를 고정시키고 열쇠를 쥐고 있는 베드로 성인과 바오로 성인이 있는 앞에서 날면서 자랑하고 있다.

그리고 바로 옆의 주두 도상 시몬 마구스의 추락은 시몬의 추락을 나타내는 작품으로 베드로 성인과 바오로 성인은 기도를 하고 있고, 시몬은 악마가 기뻐하고 있는

21) 마태오 27장 5절, 사도 1장 18-19

가운데 땅으로 위험하게 다시 추락하고 있는 장면을 나타내고 있다. 그 모습을 바라보는 악마의 표정이 안쓰러운 얼굴로 인간의 오만에 대하여 경멸하는 듯한 웃음을 지으며 바라보고 있다.

8. 삼위일체, 찬미 그리고 천국

하느님과 예수 그리스도 그리고 성령은 한 몸이며 이러한 삼위일체이신 하느님에 대한 믿음과 경외를 바탕으로 찬미와 찬양을 통하여 하느님 나라에서 영원한 생의 기쁨을 누릴 수 있다는 희망과 인내의 메시지를 성 라자르 대성당 성화 프로그램은 구성하고 있다.

삼두조
(Three-Headed Bird #19)

다윗과 찬양 음악
(Tone of Music #8)

천국의 강물
(Rivers of Paradise #23)

삼두조는 세 개의 머리를 가진 독수리를 형상화한 것으로 이는 그리스도교의 핵심 교리인 삼위일체를 의미한다.

성서에서 위풍당당하게 공중에 날아다니는 독수리는 힘과 인내의 상징이다. 독수리는 하느님 의지, 하느님의 뜻을 이룰 사람 또는 군대로서 하느님을 대리한 심판자로 비유되기도 했으며 초대 교회에서 독수리는 하느님 말씀과 지혜의 상징이었다. 그런 이유로 성당에 날개를 편 독수리의 모양을 조각한 설교대가 많았다.

다윗과 찬양 음악 주두 도상에서는 중첩적 상징 표현을 하고 있는 것으로 여겨진다.

음악에 정통하여 하느님께의 찬양을 음악으로도 했다고 전해지고 있는 다윗이 중앙에서 악기를 떠받치고 있는 형상을 하고 있으며 악공들의 모습 속에서 교회음악을 정립한 그레고리아 음율의 4번째를 연주하고 있는 듯한 표현을 통하여 하느님에 대한 찬양과 찬미를 음악을 통하여 드리고 있다.

천국의 강물 테마는 교회신앙에 있어서 전형적인 천국 즉 하느님 나라를 상징한다. 맨 위의 하느님으로부터 흘러나온 4개의 강물 이름은 피손, 기혼, 티그리스 그리고 유프라테스이다. 또한 4개의 강물이 온 세상으로 흘러가듯 그리스도교를 통한 생명과 구원의 말씀이 널리 전파되기를 희망하는 기획 하에 형상화하고 있다.

9. 그리스도 수호자로서의 교회

악과 어둠을 이기는 그리스도를 증명하고 수호하는 곳은 교회이며 이러한 교회를 통하여 하느님에 대한 믿음과 미덕을 실천하는 것이 곧 죄에 대한 구원을 통한 천국으로 향함을 성 라자르 대성당 기획자들은 주두 도상을 통한 성화 프로그램에서 구현하려 하였다.

| 네부카드네자르 왕의 꿈 | 황제 콘스탄틴 | 교회 봉헌 |
| (Dream of Nebuchadnezzar #5) | (Constantine #21) | (Presentation of Church #29) |

네부카드네자르 왕의 꿈 주두 도상은 다니엘이 네부카드네자르 왕의 꿈 해몽을 통해 교회가 설립될 것을 예언하는 성경 내용을 표현하고 있다.[22]

황제 콘스탄틴이 밀라노 칙령으로 서기 313년 로마제국의 합법적인 종교로 그리스도교를 공인한 이후에 그리스도교는 급격하게 세력을 확장하는 계기가 되었다.

---

22) 다니엘서 2장 44절

교회 봉헌은 커다란 왕관을 쓴 보닛을 입은 사람이 성직자에게 성전을 정성스럽게 바치고 있다. 이 모습을 바라보고 계시는 구름 사이의 하느님의 모습이 보인다.

IV. 결론

예수의 삶과 죽음 그리고 부활과 유사한 역사의 전철을 밟은 오튕 성 라자르 대성당은 중세 로마네스크 시대의 교회가 대부분 그러하듯이 교회세력과 지배세력의 이해타산 속에서 탄생하였다.

그러나 나름의 순례교회로서의 책무를 다하기 위하여 순례자와 일반인들을 위한 성화 프로그램을 기획하게 된다. 기획의 핵심은 믿음을 부여하기 위한 첫 단계의 관심과 흥미였으며 이러한 의도 하에 성당 내부에 많이 배치되어 있는 주두를 통한 그리스도 신앙에 대한 스토리텔링을 구성하는 것이었다.

성 라자르 대성당 성화 프로그램의 기획자들은 당시 순례자와 일반인들에 대한 분석을 시도하게 된다. 문맹인 사람들이 많으며 여러 민족이 지닌 전통 문화가 다양하고 깊은 사고를 통한 그리스도 신앙에 대한 이해가 쉽지 않다는 점 등을 감안하여 텍스트보다는 시각적 표현의 방법을 모색하게 되고 고대 전승과 여러 민족의 다양한 전통 이야기를 반영하여 소재를 선택하게 된다. 무엇보다도 인구에 많이 회자된 익숙한 이야기를 직감적으로 알기 쉽게 표현하게 된다.

이러한 프로그램의 성공을 위하여 성 라자르 대성당 성화 프로그램의 기획자들은 질르베르투스를 선택하게 된다. 당시 예술 작가의 이름을 남기는 것이 어려운 상황 속에서도 자신의 이름을 오튕 서편 파사드에 남긴 당대의 도상 작가이자 감독이 성 라자르 대성당 성화 프로그램 창출 현장에 있었던 것이다.

프로그램의 내용과 배치에 대한 권한을 지닌 성직자들은 선함의 원천인 그리스도를 강조하기 위하여 고대 전승과 여러 민족의 전통 속 악과 괴물 이미지를 주변에 배치하고 그리스도교 구약과 신약의 이야기 가운데 풍부한 스토리텔링에 적합한 이야기를 선택하게 된다. 선택된 테마에 대한 표현을 질르베르투스는 투박한 질감 속에서도 생생하고 세밀하게 주두에 표현을 하게 된다. 이렇게 결실을 맺은 오

툉 성 라자르 대성당 주두 도상은 현재에도 그리스도를 향한 진행형 성화 프로그램
이다.

주제어(Keyword)

그리스도의 눈물 Tears of Christ, 예수의 눈물 Tears of Jesus, 물Water, 샘물, 성혈, 성령
Holy Spirit, 부활 Resurrection, 생명, 라자르 Lazare, 라자로, 성 라자르 대성당 Cathédrale
Saint-Lazare d'Autun, 오툉Autun, 성지순례 Pilgrimage, 주두 Capital, 성화, 성화 프로그
램 Sanctification Program

참고문헌

임영방, 『중세미술의 도상』, 서울대학교출판문화원, 2011.

김재원 외, 『유럽의 그리스도교 미술사』, 한국학술정보(주), 2014.

이택광, 『중세의 가을에서 거닐다』, 아트북스, 2008.

박효순, 『프랑스의 성당 및 수도원건축(9)』, 대한건축사협회, 1996

김정락, 『중세의 성지순례와 성당건축:성당 내부로의 순례』, 한국미술사교육학회, 2012

메리 홀링스워스, 『세계 미술사의 재발견』, 제정인 옮김, 2009.

마르코 푸살리, 『세계 건축의 이해』, 우영선 옮김, 2009.

http://www.bourgogneromane.com/edifices/autun.htm-Historique

http://www.medart.pitt.edu/

http://web.pbc.co.kr/newspaper(평화신문/성경 속 동물과 식물)

시에나 대성당 세례대의 서사 구조와 주문자의 취향

최병진(한국외국어대학교)

Ⅰ. 서론	Ⅲ. 도상 프로그램의 주체와 주문자의 취향
Ⅱ. 세례대의 도상 배치와 구조	Ⅳ. 결론

Ⅰ. 서론

14세기 초 시에나는 로마 가도(街道, Via Romana)로 연결되어 있는 순례의 여정(旅程)에서 중요한 도시였으며, 다른 주변 도시와 경쟁적으로 미술을 후원하며 더 많은 순례자를 받으려고 노력했다.[1] 신앙과 결합되어 있는 화려한 미술 작품은 도시의 자긍심이자 경제적 부를 가져올 수 있는 시각적 메시지였다. 이 같은 맥락 속에서 본 연구에서 다루려는 것은 시에나 대성당 아랫부분에 배치되어 있는 세례당의 〈성 요한 세례대(洗禮臺, baptisterium)〉이다.

1317년 시에나 대성당의 공방에서는 합창석 부분에 두 개의 경간을 확장했다. 이 과정에서 벽의 끝 부분이 경사진 언덕에 걸치게 되었고, 구조 공사를 하는 과정에서 아래 부분에 산 조반니 세례당(Battistero di San Giovanni)[도1]가 건립되었다.[2]

---

1) 최병진, 「프란체지나 가도의 미로 도상과 종교적 삶」, 『생명, 그리스도교 미술 연구소』, 2015. 7. 로마 가도는 프란체지나 가도로도 알려져 있으며 프랑스의 파리와 로마를 잇는 유럽의 중요한 순례길 중 하나였다.

2) Marie-Ange Causarano, "La cattedrale e la città. il cantiere del Duomo di Siena. Risultati delle indaginin archeologiche," *Arqueologia de la Arquitectura* 6, enero-dicembre 2009, 199-224.

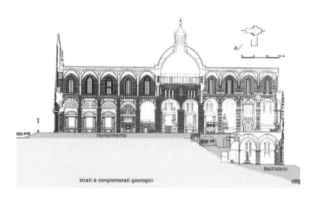

[도1] 시에나 대성당의 측면 구조 (Causarano, 2009 ©)

　이곳에 배치된 세례대는 당시 계약서류들이 잘 보존되어 있기 때문에 제작에 참여한 미술가의 명단을 확인할 수 있고 동시에 작업 순서와 과정은 주문자에 대한 복합적인 정보를 전해준다.[3]

　이 작업에는 야코포 델라 퀘르차, 피에트로 델 미넬라, 바스티아노 디 코르소, 난니 디 루카와 같은 시에나의 예술가뿐만 아니라 기베르티와 도나텔로와 같은 피렌체의 조각가이자 금속 세공사가 참여했다.[4] 따라서 본 연구는 먼저 이 작품의 도상 배치가 지닌 의미를 분석한 후, 남아있는 기록을 통해 주문자의 취향과 연관해서 시에나의 예술가들이 피렌체 르네상스 미술의 새로운 경향을 받아들이는 과정을 살펴보려고 한다.

Ⅱ. 세례대의 도상 배치와 구조

　성막(tabernacle)을 구성하는 세례대의 상단에는 세례자 성 요한이 배치되어있다. 그는 전통적 도상에서 다뤄졌던 것처럼 가죽옷을 입고 있지만 나무 십자가 대신 두

---

3) John White, Duccio. *Tuscan Art and the Medieval Workshop*, London, 1979. 참조.
4) Elena Capretti, *Brunelleschi*, Giunti Editore, Firenze 2003. 참조.

루마리 책을 들고 있다. 또한 인물의 표정은 관찰자가 서 있는 아래쪽을 응시하고 있다. 또한 지식을 의미하는 두루마리와 책과 미세하게 기울인 얼굴은 세상을 이해한 철학자의 모습처럼 보인다. 한편 조각상의 뒷부분에는 세례당의 "그리스도의 고난"을 다루는 프레스코 화가 겹쳐지면서 마치 성 요한이 그리스도의 삶을 예언하는 것 같은 환영을 만들어내고 있다.

이탈리아의 중세 연구가인 안달로로 로마니니(Andaloro Romanini)는 아르놀포 디 캄비오(Arnolfo di Cambio)의 연구에서 당대 조각이 관습적으로 관찰자의 시점에 따라 조절되며 조각상의 형태가 미세하게 조정되었다는 점을 주장했다.[5]

[도2] 세례자 성 요한의 세례대,
시에나 두오모의 세례당 장면

이런 점은 세례자 성 요한의 조각에도 적용되는 것처럼 보인다. 하지만 더 나아가 세례당의 입구에서 들어가면 세례자의 조각상은 관람자를 응시하고 있으며, 이는 관람자의 시선을 끌며 이 작품에 주목하게 만들어주지만 동시에 이 작품이 지닌 도상학적 이야기의 출발점을 구성한다. 기념 조형물의 전체 구조에서 성 요한의 조각 아래 배치된 이야기는 성 요한을 설명하는 이야기라는 점에서 이야기를 읽는 순서는 위에서 아래로 이어지는 수직축을 따라 전개되고 있다고 판단할 수 있다.

세례자를 받치고 있는 단(段) 아래에는 시에나 대성당의 돔을 연상시키는 성막 지붕이 보이고, 실내에서 관람자에게 방문하는 장소인 시에나 대성당을 다시 환기시켜주며, 시에나와 성 요한의 관계를 강조한다. 이는 종교화의 배경에 묘사된 도시를 통

---

5) Romanini A. M., "Ipotesi ricostruttive per I monumenti sepolcrali di Arnolfo di Cambio. Nuovi dati sui monumenti De Braye e Annibaldi e sul sacello di Bonifacio VIII," *Skulptur und Grabmal*, 1990, pp. 107-128.

해 마치 이야기가 이를 바라보는 사람들의 삶의 풍경 속에 투영되는 것처럼 이야기와 관람자의 심리적 거리를 줄여주는 요소로 보인다.

성막 윗부분에는 고대 건축의 박공부가 배치되어 있고, 이는 마치 당대 제단화의 틀처럼 화려하게 장식되어 있다. 이는 이 작업에 참여한 여러 금 세공사의 취향을 반영한 것으로 보인다[도 3-4].

[도3] 두초 디 본인세냐, 〈마에스타〉,
시에나 두오모의 제단화, 1308-1311

[도4] 성막 상단 박공부의 장식

박공부와 박공부 사이에는 조반니 디 투리노(Giovanni di Turino, Siena, c. 1385 – post 1455)와 도나텔로(Donatello, c. 1386 – 1466. 12. 13)가 제작한 아기천사(Putti)가 배치되어 있다. 각각 악기를 들고 다른 몸짓을 지닌 아기천사의 도상은 마치 소리가 들려오는 것 같은 느낌을 만들어내며 시각에서 청각으로 변화되는 공감각적 표현을 구성한다[도5-8]. 이런 점은 르네상스 시대 발전했던 수사학적 몸짓에 대한 시각 미술의 논의를 반영하고 있다.[6]

박공 아래편에는 벽감 속에 여섯 개의 부조가 제작되어 있으며 이 중 5점은 주로 대리석 조각을 재료로 다루던 야코포 델라 퀘르차의 부조이고 다른 한 점은 청동에 도금해서 제작한 성모상으로 당시 금세공사로 일했던 조반니 디 투리노(Giovanni di

---

6) 최병진, 르네상스 예술 장르의 상화 관계성과 시각 문화, 이탈리아어문학, 40권, p. 241-278.

[도5-8] 조반니 디 투리노, 도나텔로, 아기천사가 묘사된 장면

Turino)의 작품이다. 재료의 차이는 도상의 중요성의 차이에서 비롯되었으며, 성모상 아래 부분은 <자카리아에게 소식을 전하는 천사>가 놓여있다는 점에서 성서의 이야기가 지닌 연관성을 강조한다. 성서에서 자카리아에 대한 이야기에는 성모 마리아와 성녀 엘리사벳의 관계에 대한 서사가 포함되어 있기 때문이다.[7]

세례대의 받침 부분에는 세례자 성 요한의 삶을 다루는 이야기가 부조로 제작되어 세례대를 따라 시계 반대 방향으로 배치되어 있다. 이야기의 출발은 입구 반대편 제단 앞에 있는 <자카리아에게 소식을 전하는 천사>에서 시작되며 우측으로 <세례자의 탄생>, <세례자의 설교

[도9] 조반니 디 투리노, 성모상,
벽감 중 유일한 청동에 도금 작품

>, <그리스도의 세례>, <체포되는 세례자>, <헤로데의 연회>가 이어진다.

이 같은 공간 배치는 세례대의 사용자로서 신자와 사제의 위치를 고려하고 있다. 제단 뒤에서 세례를 주관해야 하는 사제는 세례에 대한 이야기의 출발점에 위치하게 되며, 반대로 입구를 지나 세례를 받으러 온 사람들은 이야기를 듣고 따라가는 과정

---

7) 세례자 요한의 출생 예고, 루카 (1,5-25).

에서 세례자의 시선 아래 성서에서 성 요한의 삶 중 가장 상징적으로 중요한 <그리스도의 세례>를 만나게 된다. 이 작품은 6점의 연작의 핵심인 것이다.

대체로 이야기의 핵심을 중요한 예술가에게 의뢰한다는 점을 고려해보았을 때, 이 작품을 제작한 인물이 피렌체에서 초빙해온 로렌초 기베르티(Lorenzo Ghiberti, 1378 - 1455. 12. 1)였다는 점은 그가 이 작업에서 중요한 역할을 담당했다는 점을 알려준다.

[도10] 로렌초 기베르티, 그리스도의 세례의 장면

또한 6점의 이야기 사이에는 다시 덕(virtu)의 의인상이 배치되어 있으며 각각의 이야기에 대한 묵상의 주제를 설명해준다. 덕의 의인상은 추상적이지만 성서의 이야기에 포함된 것은 아니다. 이는 사람들이 살아가야 할 태도이자, 동시에 이야기의 교훈을 설명한다. 벽감에 배치된 델라 퀘르차의 선지자에 대한 상에 대한 해석은 명료하지 않아서 다양한 해석들이 있기는 하지만 앞서 언급한 성 요한 - 성모 - 자카리아의 이야기는 자비의 의인상으로 이어진다. 이는 그리스도의 탄생과 세례자 성 요한의 탄생을 예비하는 성보와 엘리사벳의 이야기를 연결시켜주는 의인상이다.

덕의 의인상은 첸니노 첸니니(Cennino Cennini)가 『예술의 서 *Il libro dell'arte*』에서 그리스 문화에서 라틴 문화로 변화된다고 언급했던 조토(Giotto)가 <스크로베니 경당

>의 양쪽 측면 하단에 묘사한 바 있었던 것으로, 당대 미술의 새로운 변화 중 하나였다.[8] 이는 '가난한 자들의 성서(Biblia pauperum)'라고 알려졌던 당대 이미지의 직관적 기능과 연관되어 있다.[9] 성서의 이야기가 먼 과거라면, 덕의 의인상은 동시대의 감정이 투영되고 중첩되어 만들어진 새로운 도상이자 마치 직관적인 책의 각주처럼 작동하고 있는 것으로 보인다. 그리고 설교하듯 이야기를 전달하는 과정은 당시 조토가 수학한 바 있었던 도메니쿠스 수도회나 프란치스코 회 수도회 등 당대 이탈리아어 구어를 활용해서 신자에게 다가갔던 당대의 수도원 문화를 떠오르게 만들어준다.

당시 성서의 이야기들이 전승되어왔던 도상에 따라 명확한 이미지를 지니고 있다면, 덕의 의인상은 기존 도상의 전형과 달리 지역 마다 다른 특성을 지니고 있다. 또한 추상적 개념을 은유적으로 의인화하는 과정은 당시 이 이야기를 고안했던 예술가로 하여금 동시대의 인간을 관찰하게 만들어야 했을 것이다. 따라서 이런 점은 성화의 전통에 처음으로 '동시대(moderna)'의 감정이 반영되어 자신의 이야기를 생산해나가는 것이자 더 나아가 동시대의 인간 군상에 대한 이야기를 통해 사회적 규범으로서 덕에 대한 윤리적 관점과 해석이 담겨있다고 볼 수 있다. 르네상스 시대가 인간에 대한 관심을 지녔다고 보는 후대의 평가는 이 같은 미술품의 양식적 표현에도 기대고 있는 것이다.

하지만 동시에 이 의인상은 시선을 통해 이야기를 환기하고 강조하는 역할도 수행한다. 정면부에서 <그리스도의 세례> 양옆의 의인상은 모두 관람자를 응시하며 이야기의 중요성을 드러내는 것처럼 보이지만, 사제가 있는 뒷부분 <자카리아에게 소식을 전하는 천사> 양옆의 의인상은 마치 묵상하는 것처럼, 즉 이를 통해 이야기의 교훈에 대한 질문을 사제에게 던지는 것처럼 표현되어 있기 때문이다.

이런 점은 성서의 이야기를 구조적으로 구성하고 있다는 사실을 드러내며 동시에 공간을 기준으로 보는 사람의 시선을 고려하고, 이용자의 위치와 기능을 정교하게 결합해서 이미지로 구성된 이야기를 생산하고 있다는 사실을 알려준다.

----

8) Cennino Cennini, *Il libro dell'arte*, ed. by. Fabio Frezzato, Neri Pozza: Venezia, 2003, p. 63.
9) 비블리아 파우페룸의 사례;

    https://iconographic.warburg.sas.ac.uk/vpc/VPC_search/subcats.php?cat_1=14&cat_2=8 12&cat_3=2903&cat_4=5439&cat_5=5192&cat_6=3554&cat_7=1149 (2019년 5월 1일 검색)

[표1] 각 부분의 도상과 이야기의 구조

수평구조의 내러티브 전개	세례자 성 요한의 조각상	수직 구조의 내러티브 전개			
		(소실)	성모자	자카리아에게 소식을 전하는 천사 (야코포 델라 퀘르차)	정의
		춤추는 푸토	선지자	세례자의 탄생 (투리노 디 사노, 조반니 디 투리노)	자비
		공을 들어올리는 푸토	선지자	세례자의 설교(조반니 디 투리노)	신중함
		춤추는 푸토	선지자	그리스도의 세례(로렌초 기베르티)	신앙
		나팔을 부는 푸토	모세	체포되는 세례자(로렌초 기베르티)	희망
		템버린을 지닌 푸토	선지자	헤로데의 연회(도나텔로)	힘

이 같은 종합적이고 정교한 도상 배치를 고려해본다면 시에나 두오모 세례당 내에 배치된 〈세례자 성 요한의 세례대〉에 대한 이야기의 프로그램을 만든 사람은 적어도 성서의 내용을 충분히 이해하고 이에 대한 특징을 의인화해서 특별한 덕을 제시할 정도의 인물이어야 할 것이다.

Ⅲ. 도상 프로그램의 주체와 주문자의 취향

작품의 제작 기록은 크게 1414년, 1416년, 1417년, 1423년 4회에 걸쳐 남아있다. 이중에서 공식적인 계약서는 1417년에 체결되기 시작했지만 이 기록들을 통해서 당시 주문자와 취향의 변화를 엿볼 수 있다고 생각한다.

시에나 대성당의 세례대는 당시 추기경회의의 주문에서 시작되었다. 당시 미술품의 재료에 대한 비용이 높았기 때문에 오늘날의 계약서와 달리 재료와 기법에 대한 세부적인 항복들도 관찰할 수 있으며 대성당의 세례당에 들어가야 한다는 점에서 다른 작품에 비해서도 더 상세하게 기록되어 있다.

첫 번째 기록은 1414년 10월 10일 추기경회의 회의 기록이다. 이 회의에서 다뤄진 것은 대성당 건축과 비교해보았을 때 "걸맞지 않은(sono et vituperoso)"이미지를 지니고 있다고 보았기 때문에 "영예로운 세례대(Fonte de battesimo honorata)"를 제작할 필요성을 언급하고 있다. 이 기획은 원래 대성당 건축 공방장이었던 카테리노 디 코르시노(Caterino di Corsino)에게 요청된 것이다.[10]

그러나 이는 1416년 6-7월 두 번째 기록에서 확인하듯 곧바로 진행되지 않았다. 두 번째 기록은 대성당 계약서의 목록에 포함되며 피렌체 금속 세공사 로렌초 기베르티에게 "세례대 건립을 위한 (per edificare el battesimo in San giovanni)" 제작 비용을 요청했던 서류였다.[11] 시에나의 대성당 공방에서 피렌체의 예술가에게 견적을 요청했다는 것은 당시 피렌체와 문화적 경쟁을 진행하는 과정에서 시에나의 예술가들이 참여한 바 있는 피렌체 세례당의 북문 패널의 경합에 대한 관심이 높아졌던 것으로 보인다.[12] 하지만 견적과 계약이 주문으로 이어지지는 않았다.

세례대에 대한 작업을 위한 계약이 진행된 것은 1417년이었다. 야코포 델라 퀘르차는 1417년 4월 16일 세례대의 청동부조를 주문받았고 투리노 디 사노와 조빈니 투리노는 2점의 청동 부조를 주문받았다[13]. 그리고 델라 퀘르차와 조반니 투리노가 다시 벽감에 배치될 6점의 조각상을 주문받았다. 이 기록에는 부조의 규격과 경합을 위한 기한(1418년 5월)이 명시되어 있다는 점에서 흥미롭다. 이는 세례대의 청동 부조가 계약의 중심이라는 사실을 보여주며 경합을 통해 이를 제작할 예술가를 선정하는 것처럼 보이기 때문이다. 하지만 청동부조의 경합에 참여한 사람들 모두 세례대를 제작했고 한 달 뒤 기베르티와의 계약이 진행되었다는 점은 예술가를 선정하기 위한 경합이 확인할 수 없는 어떤 원인으로 인해서 모두 참여하는 것으로 그리고 이를 통해 보는 사람의 판단 속에서 작품을 비교하게 되는 과정으로 변해가고 있다는 점에 주목하게 만든다. 즉 시에나의 추기경단은 경합 결과로 예술가를 선정하고 작품을

---

10) Borghesi, S. and L. Banchi. *Nuovi documenti per la storia dell'arte senese*, Siena: 1898, pp. 79-80 (ASS, Cone. 2113, cc. 34-34v).

11) Milanesi, G. *Documenti per la storia dell'arte senese*. 3 vols. Siena, 1854-1856.

12) 르네상스 시대의 개막을 알리는 피렌체 세례당의 경합은 로렌초 기베르티와 브루넬레스키의 경합으로 기억되고 있으나, 이 경합은 12명의 예술가가 참여했고 이 안에는 시에나의 금속 세공가들도 다수 참여한 바 있다. *Il museo dell'Opera del Duomo a Firenze*, Mandragora: Firenze 2000, p. 174.

13) Paoletti, J. "The Siena Baptistry Font: A Study of an Early Renaissance Collaborative Program, 1416-1434." Ph. D. diss., Yale University, 1967, pp. 115-116.

기획하는 대신, 경합을 통해서 작품 자체를 제작한 것이다.

결과적으로 1417년 5월 기베르티가 계약했을 때 시에나 조각가 사노 디 마테오, 난니 디 자코모, 자코모 디 코르소가 성막과 세례대의 구조틀을 주문받았고 세례대의 전체 구조가 확정되었다.

기획이 진행되는 과정에서 주문자의 역할을 수행할 수 있는 주체는 추기경회의, 델라 퀘르차, 기베르티 중 한 사람으로 보인다. 1417년 5월 계약에 포함된 조각가들 중 기베르티를 제외한 미술가는 작품이 아니라 작품의 구조 틀을 다루고 있다는 점에서 도학적적 프로그램을 직접 다루었다고 보기는 힘들기 때문에 우선적으로 제외시킬 수 있기 때문이다.

로렌초 기베르티는 1416년 견적을 위한 비용과 검토를 요청받았다는 점에서 가능성이 있고, 델라 퀘르차는 1414년 시에나의 "가이아의 샘(Fonte Gaia)"를 제작하고 있었다는 점에서 당시 주목받는 조각가였으며[14], 최초의 계약자이자 작품의 가장 많은 부분에 관여했다는 점에서 가능성이 있다.

그러나 로렌초 기베르티의 경우에는 자신의 소고였던 "논고(Commentari)"에서 이 작품을 기억하며 시에나로부터 2점을 주문받았다는 사실을 기록하고 있다. 따라서 그는 전체 작품을 총괄할 수 있는 계약 당사자가 되기는 어렵고, 이런 점이 도상 프로그램의 전반적인 기획자로 볼 수 없는 이유를 제공한다. 또한 그는 이 작업을 시에나가 아닌 피렌체에서 진행했고 이후 시에나로 운송했다는 점에서 전반적인 도상을 감독하고 관리해야 할 상황도 아니었다.[15]

---

14) J. Beck, *Jacopo della Quercia*, New York, 2 vols, 1991, pp. 87-89; Pope Hennessy, Italian Gothic Sculpture, p. 213; P. Bacci (Jacopo della Quercia [Siena, 1929], 82) and D. Macchetti ("Orafi senesi," La Diana IV [1929], 65) attributed the font design to Jacopo.

15) Ghiberti, L. I Commentari. ed. by. O. Morisani, Naples: 1947. "Dalla comunita di Siena mi fu allogato due istorie sono nel battesimo la storia quando sancto Giovanni battezza Christ, l'altra quando sancto Giovanni e menato presso innanzi a Herode."; Ercoli, G. "Il Trecento' senese nei Commentari di Lorenzo Ghiberti." In Lorenzo Ghiberti nel suo tempo (Atti del convegno internazionale di studi, Florence, 1978), vol. 2, 317-41. Florence, 1980.

이런 점은 델라 퀘르차에게도 적용할 수 있다. 1423년 계약서는 델라 퀘르차의 작품 중 한 점이 피렌체의 도나텔로로 대체되었다. 도나텔로는 〈체포되는 세례자〉와 덕의 의인상 중 〈희망〉을 제작했다. 그리고 이 시기에 델라 퀘르차는 1425년 볼로냐의 산 페트로니오 교회(Chiesa di San Petronio)의 문의 상인방(Lintel) 윗부분의 조각 작품을 주문받았다. 당시 그에게 여러 장소에서 주문이 몰려들었고, 시에나에서 작업하기 어려운 상황들을 만들어냈다. 하지만 그가 시에나의 작업의 도상학적 프로그램을 기획하고 작업 관리했다면 이처럼 쉽게 다른 작품의 제작을 받아들이기 어려웠을 것으로 보인다. 그러므로 그는 세례대의 관리 책임자가 될 수 없다.[16]

연구자는 이 작품의 종합적인 도상 프로그램의 주체가 시에나의 추기경회라고 생각한다. 또한 이 작업에 대한 관리는 두오모의 증축의 연장선 속에서 대성당 공방에서 진행했을 가능성이 제일 높다. 하지만 이 과정에서 추기경회는 새로운 미술의 표현 경향에 대한 관심을 보여주었다. 1416년 시에나 공방을 대표하는 예술가 대신 피렌체의 예술가였던 기베르티에게 자문과 비용을 확인한 것은 이미 당대의 관례는 아니었다. 따라서 이는 이전에 경쟁 도시였던 피렌체에서 있었던 세례당 북문의 패널 경쟁에 대한 관심에서 비롯된 것으로 보인다. 1401년 기베르티가 참여했으며, 브루넬레스키가 경합을 벌였고 시에나의 예술가도 참여했다.[17] 그리고 경쟁 도시의 세례당을 장식하는 미술품 제작 경합에서 승리한 기베르티에 대한 관심이 없었다면 이곳과 비견될 시에나의 세례당 내의 가장 중요한 작품인 세례대를 위해 기베르티에게 자문과 참여를 요청하지 않았을 것이다.

이는 오히려 순례자를 둘러싼 도시 미술품이 시각 매체로서 당대 중요성을 지닌다는 점을 보여준다. 화려한 예술품과 이를 보기 위해서 찾아오는 순례자의 방문과 사회 경제적 효과를 고려한다면 경쟁 도시의 주목받는 예술가에게 작업을 요청하는 것도 충분히 의미 있는 일이었다. 하지만 이 과정에서 피렌체의 세례당의 청동문의

16) P. Bacci. "La 'colonna' del Campo proveniente da avanzi Romani presso Orbetello e la 'lupa1 di Giovanni e Lorenzo Turini, orafi senesi (1429-30)," *La Balzana* 1 (1927): 222; P. Bacci, Jacopo della Quercia, Siena, 1929, p. 82; D. Macchetti, "Orafi senesi," *La Diana* IV, 1929, p. 65.

17) Giulia Brunetti, *Ghiberti*, Sansoni, Firenze 1966. 참조.

경합 사례에서 볼 수 있는 것처럼 도시에 소속된 예술가에 대한 자긍심을 보여주기는 어려웠다. 시에나를 대표하는 세례대의 경합에서 승리한 것이 경쟁도시의 피렌체의 예술가라면 이는 피렌체 미술의 우월성을 보여주는 사례가 되기 때문이다. 하지만 이 같은 상황에도 불구하고 시에나의 추기경회는 피렌체의 새로운 예술적 변화에 대한 관심이 있었던 것으로 보인다. 왜냐하면 기베르티의 청동 부조가 관람자를 위한 정면부에 배치되어 세례대의 가장 중요한 이야기를 전달하고 있기 때문이다. 그렇기 때문에 1417년 경합이 명시되었던 계약서의 이야기는 사라지고, 예술가 집단의 기획으로 제작되는 과정으로 변경되었다. 이는 아마도 새로운 취향과 경쟁도시의 대표적인 예술가의 작품에 대한 선호도가 만들어내는 딜레마에서 비롯되었던 것으로 보인다. 추기경회의는 피렌체의 새로운 미술에 더 많은 관심을 가졌지만 동시에 그 작품이 피렌체의 예술가의 작품으로 알려지는 것을 원치 않았을 것이다.

이 같은 피렌체 미술의 미술 경향에 대한 시에나의 주문자의 관심은 어느 정도 연속성도 지니고 있었다. 같은 시기 시에나의 시청인 팔라초 푸블리코(Palazzo Publico)를 위해서 1413년부터 1414년까지 타데오 바르톨로(Taddeo di Bartolo)가 제작한 <위인들 *Uomini Illustri*>은 회화 분야에서 피렌체의 영향을 확인할 수 있다. [18]

당대 세례대가 제작되던 시기에 여러 분야에서 관찰할 수 있는 피렌체의 양식적 특성은 도시 간 경쟁 속에서 상호적으로 새로운 예술의 변화에 대한 관심이 높아지며 문화적 취향이 변화되는 과정을 보여준다. 시에나의 미술이 변화되기 시작한 것은 경쟁 도시인 피렌체의 변화를 주의깊이 관찰했던 후원자들이 있었기 때문이며, 이들은 경우에 따라서 자신의 취향을 반영하고 전달하고자 하는 이야기를 도상 프로그램을 통해서 더 정교하게 구성하여 같은 도시의 시민들과 순례자들에게 전달했던 것이다.

그러나 세례대의 제작 기간은 원래 생각했던 것보다 길어졌다. 작업 기간이 길어지는 주요 원인은 참여했던 예술가가 여러 작업을 병행했기 때문이며, 또한 1348년

---

18) J. A. Crowe, G. B. Cavalcaselle, *Storia della pittura in Italia dal secolo III al secolo XVI, III*, Firenze: 1892, pp. 256-294; P. Bacci, "*Documenti e commenti, Taddeo di Bartolo e le sue figure del Testamento Vecchio nel Duomo di Siena,*" La Balzana 1, 1927, pp. 225-226; L. Bellosi, "La ripresa tardogotica in *Toscana e a Siena*" in *Il Gotico a Siena: miniature, pitture, oreficerie, cat.* (Siena 1982), Firenze: 1982, pp. 291-294.

이후 토스카나 전역에서 유행했던 흑사병에서 시에나가 자유롭지 않았던 상황도 어느 정도 그 원인을 제공했던 것으로 보인다.[19]

작품의 제작 과정과 완성일이 예술가마다 서로 다른 상황은 이 같은 사회적 현실에서 벗어나지 않을 것으로 보이지만, 이 과정은 다시 주문자의 새로운 예술적 취향을 드러낸다. 예를 들어 1423년 도나텔로는 시에나 두오모의 세례대의 제작 과정에서 가장 늦게 주문을 받았으며 1427년 1월 17일에 작품을 완성했다. 하지만 이에 비해서 델라 퀘르차는 1417년 즉 도나텔로보다 6년의 시간이 더 있었음에도 불구하고 1430년 청동으로 완성된 작품 〈자카리아에게 소식을 전해주는 천사〉를 최종 제출하며 세례대의 기획을 마무리했다.

이 작품은 투리노 디 사노와 그의 아들 조반니가 제작했던 〈세례자의 탄생〉과 도나텔로가 제작했던 〈헤로데의 연회〉 사이에 놓여있지만, 양식적 유사성은 시에나 출신으 작가들인 투리노와 조반니, 델라 퀘르차의 경우보다는 도나텔로와 델라 퀘르차가 양식적 유사성이 더 높은 점을 확인할 수 있다.

공간감의 표현과 인물의 효과적인 몸짓과 이야기의 흐름은 이 같은 유사성을 잘 보여주는 부분이다. 특히 먼 인물을 저부조로, 가까운 인물을 고부조로 표현하며 공간의 깊이를 만들어내는 세부는 두 작품의 유사성을 드러내주며, 델라 퀘르차가 이곳에 있는 기 제출된 작품들을 잘 이해하고 있는 것 같은 인상을 만들어낸다. 주문자

[도11-12] 도나텔로의 하단 부조인 〈헤로데 왕의 연회〉와
델라 퀘르차의 〈자카리아에게 소식을 전해주는 천사〉

19) E. Friedell, *Storia della civiltà dell'età moderna*, 1932 참조.

의 취향이 이 작품의 제작에서 중요했다면 델라 퀘르차는 주문자가 선택한 작품을 관찰하고 이를 제작하는 것이 더 유리하다는 점에서 작품의 제작을 의도적으로 미루었을 가능성도 있다.

계약서와 제작 과정, 완성 과정을 드러내줄 때 시에나의 세례대의 기획은 순례가 활성화되고 토스카나 지방의 도시들이 연결되며 발전하고 경쟁하는 과정에서 미술품의 양식적 변화 과정을 효과적으로 보여준다. 당시 추기경단은 경쟁하는 도시의 미술 작품을 주의깊이 들여다보았으며 이 과정에서 취향이 변화되는 듯 보인다. 그리고 이는 다시 작품을 제작하는 예술가들의 작업에 영향을 끼치며 르네상스 시대 조각의 양식적 쟁점을 만들어가고 있다.

IV. 결론

시에나의 세례대는 대성당 건축에서 시작된 시에나의 핵심적인 기획으로 남아있다. 세례대의 조각들은 관찰자의 시점을 고려해서 배치되었으며 성서의 요약과 동시대의 묵상에 대한 생각이 구조적으로 결합되어 있다.

한편 계약서의 기록은 이 같은 도상 프로그램의 주체가 추기경회라는 점을 보여주며 피렌체의 미술에 대한 관심과 수용 과정을 보여준다. 이는 시에나 출신 예술가의 표현 경향을 변화시켰다. 그 결과 고딕 미술의 우아하고 정교한 표현을 넘어 점차 감상자와의 심리적 거리를 줄여가면서 현실의 감정을 강조하던 르네상스 시대의 표현으로 나아갔다. 그리고 이는 덕의 의인상처럼 르네상스 시대 동시대의 감정이 반영된 인간적 감정의 발견과 함께 미술품의 양식적 표현이 어떻게 르네상스 시대의 여러 도시에 확산되었는지를 효과적으로 드러내는 사례로 남아있다.

주제어(Keyword)
시에나 대성당(Siena Cathedral), 산 조반니 세례(Baptistery of San Giovanni), 야코포 델라 퀘르차(Jacopo della Quercia), 로렌초 기베르티(Lorenzo Ghiberti), 조반니 디 투리노(Giovanni di Turino)

참고문헌

최병진, 「프란체지나 가도의 미로 도상과 종교적 삶」, 『생명, 그리스도교 미술 연구소』, 학연출판사, 2015.

_____, 르네상스 예술 장르의 상화 관계성과 시각 문화, 이탈리아어문학, 40권, p. 241-278.

Bacci, P. Jacopo della Quercia, Siena, 1929.

_____. "La 'colonna' del Campo proveniente da avanzi Romani presso Orbetello e la 'lupa1 di Giovanni e Lorenzo Turini, orafi senesi (1429-30)," La Balzana 1 (1927)

_____, "Documenti e commenti. Taddeo di Bartolo e le sue figure del Testamento Vecchio nel Duomo di Siena," La Balzana 1, 1927, pp. 225-226.

Bellosi, L. "La ripresa tardogotica in Toscana e a Siena" in Il Gotico a Siena: miniature, pitture, oreficerie, cat. (Siena 1982), Firenze, 1982, pp. 291-294.

Beck, J. Jacopo della Quercia, New York, 2 vols, 1991.

Borghesi, S. and L. Banchi. Nuovi documenti per la storia dell'arte senese, Siena: 1898.

Brunetti, G. Ghiberti, Sansoni, Firenze 1966.

Causarano, M. A. "La cattedrale e la città. il cantiere del Duomo di Siena. Risultati delle indaginin archeologiche," Arqueologia de la Arquitectura 6, enero-dicembre 2009, 199-224.

Cennini, Cennino. Il libro dell'arte, Fabio Frezzato, ed. by, Neri Pozza, Venezia, 2003.

Crowe, J. A. & G. B. Cavalcaselle, Storia della pittura in Italia dal secolo III al secolo XVI, III, Firenze, 1892.

Elena Capretti, Brunelleschi, Giunti Editore, Firenze 2003.

Ercoli, G. "Il Trecento' senese nei Commentari di Lorenzo Ghiberti." In Lorenzo Ghiberti nel suo tempo (Atti del convegno internazionale di studi, Florence, 1978), vol. 2, 317-41. Florence, 1980.

Friedell, E. Storia della civiltà dell'età moderna, 1932

Ghiberti, L. I Commentari. ed. by. O. Morisani, Napoli, 1947.

Hennessy, P. Italian Gothic Sculpture, p. 213;

Il museo dell'Opera del Duomo a Firenze, Mandragora: Firenze 2000.

Macchetti, D. "Orafi senesi," *La Diana* IV, 1929.

Milanesi, G. *Documenti per la storia dell'arte senese*. 3 vols. Siena, 1854-1856.

Paoletti, J. "The Siena Baptistry Font: A Study of an Early Renaissance Collaborative Program, 1416-1434." Ph.D. diss., Yale University, 1967.

Romanini A. M., "Ipotesi ricostruttive per I monumenti sepolcrali di Arnolfo di Cambio. Nuovi dati sui monumenti De Braye e Annibaldi e sul sacello di Bonifacio VIII," Skulptur und Grabmal, 1990, pp. 107-128.

White, J. *Duccio. Tuscan Art and the Medieval Workshop*. London, 1979.

레오나르도 다 빈치의 ≪대홍수≫ 연작에 대한 형태학적 접근

이지연(한국예술종합학교)

Ⅰ. 서론
Ⅱ. ≪대홍수≫ 연작의 문헌적-시각적 원천
  1. 인간의 부재와 내러티브의 파괴
  2. 종말론적 광경?
Ⅲ. 드로잉에 대한 탐색: '생성적' 힘과 직관
  적 효과
Ⅳ. 결론

Ⅰ. 서론

대 플리니우스(Pliny the Elder)는 아펠레스(Apelles)에 대해 "회화에서 좀체 재현되기 힘든 주제, 즉 천둥, 벼락 그리고 섬광"[1]을 그리는데 능숙한 화가라고 평한 바 있다. 이 구절에서 확인할 수 있듯이 변화하는 기후를 그럴듯하게 표현하는 것은 화가들에게 어려운 훈련으로 간주되었던 만큼 그들의 재능을 증명하는 것에 다름이 아니었다. 16세기 미술비평가 조르조 바사리(Georgio Vasari)는 『르네상스 예술가 평전 Le vite de' più eccellenti pittori, scultori, e architettori』(1568)에서 베네치아 화가 야코포 팔마 베키오(Jacopo Palma il Vecchio)의 <바다의 폭풍우 The Sea Storm>(1527-1528, 1534-1536)를 소개하면서 바람의 격노와 파도의 움직임 등 자연현상을 자연스럽게 묘사한 점을 들어 예술가의 역량을 칭송하기도 했다.[2] 반면 레온 바티스타 알베르티

---

[1] Pline l'Ancien, *Histoire naturelle*, XXXV, ed. and trans. Jean-Michel Croisille (Paris: Les Belles Lettres, 1997), 85.

[2] <바다의 폭풍우>에 대해 바사리는 『르네상스 예술가 평전』의 초판(1550)에서 조르조네(Giorgione)가 그린 것으로 판단했으나 1568년의 두 번째 판본에서는 팔마 베키오의 작품

(Leon Battista Alberti)의 선 원근법 이론을 재현의 철칙으로 삼았던 15세기 피렌체 화가들이 명료한 선을 이용하여 자연 풍경보다는 인체와 건축공간을 그리는 데 매진했다는 점을 고려해볼 때, 이들에게 비와 바람 등의 여러 기상현상이 가져다주는 '분위기(atmosphere)'를 효과적으로 재현해내는 것이 얼마나 쉽지 않은 작업이었는지 짐작해볼 수 있다.[3]

르네상스 시기 이탈리아에서 창세기의 홍수이야기(Genesis Flood)는 천재지변과 관련된 에피소드들 중에서 가장 많이 재현된 주제이다.[4] 이에 관한 성경 구절을 보면 홍수는 단순한 자연재해가 아닌 인류가 반드시 겪어야 하는 '성스러운' 시련으로 묘사되는데, 그 주제가 도출되는 방식은 다음과 같다. 이 구절(창세기 6:9-7:24)의 서두부터 하나님은 전지전능한 모습으로 등장하며 인간은 나약하고 악의 있는 존재로 비춰진다. 하나님이 대홍수를 계획한 결정적 이유는 자신의 이미지로 창조한 선한 인간이 악에 끌리는 것에 대해 불길함을 느꼈기 때문이다. 이때 대홍수의 비는 지상의 모든 것을 쓸어버리는 파괴적인 힘과 인류를 구원할 수 있는 방어적인 힘을 동시

으로 간주하였다. 이 그림은 1527년에 시작되어 1528년 팔마 베키오가 사망함에 따라 1536년 파리스 보르도네(Paris Bordone)에 의해 완성되었다. Giorgio Vasari, *Les vies des meilleurs peintres, sculpteurs et architectes*, ed. André Chastel, t. IV (Paris: Berger-Levrault, 1983), 64.

3) "피렌체인들은 페라라(Ferrara)의 스키파노이아 궁전(Palazzo Schifanoia)에서 천상의 상징들이 지배하는 점성술적 풍경에도, 베네치아인들이 벨리니(Giovanni Bellini)를 전범으로 삼아 그려낸 빛으로 통일된 순수한 풍경에도 관심을 갖지 않았다. 피렌체인들의 문화적 독창성은 그들이 한 형상 주위에 있는 자연의 섬세한 요소들이 장식처럼 보일 수 있도록 고결한 풍경을 위한 해결책을 오랫동안 유지해왔다는 데에 있다; 이러한 양식화는 순수한 풍경의 지지자들에게 격렬한 반응을 불러일으킬 것이다." André Chastel, *Art et Humanisme à Florence. Au temps de Laurent le Magnifique. Etude sur la Renaissance et l'Humanisme platonicien* (Paris: Presses Universitaires de France, 1959), 316-317.

4) 1450년부터 1600년까지 이탈리아에서 '대홍수'를 주제로 한 회화의 수는 대략 15점 정도로 추정할 수 있으나 여기에 다른 매체 즉 인타르시아(intarsia), 판화, 드로잉 등을 모두 더하면 꽤 수가 많다. 작품 목록에 대해서는 다음 논문 참조. Pascale Dubus, "Conjurer le grand déluge de 1524. Peinture et pronostic au début du Cinquecento," *Bibliothèque d'Humanisme et Renaissance* 76:2 (2014): 233-253.

에 갖춘 권능의 도구로 작용한다. 이에 대해 그리스 교부 다마스쿠스의 요한(John of Damascus, 676-749)은 대홍수가 세상의 죄를 제거하기 위해 일어났다는 점에서 '물로 베푼' 세례를 예고한다고 주장하기도 했다.[5] 이러한 예표론적 해석은 대홍수에서 물의 기능이 단순히 심판에 집중되지 않고 구원의 증표로 전환될 수 있음을 알려준다.

성경 구절이 그림으로 옮겨지면 주제 면에서 인간의 숙명과 신의 은총을 다룬 인류 최초의 위대한 서사시일지라도 한편으로는 '종말론적' 광경으로 변하기도 하고, 다른 한편으로는 지상의 네 요소인 물, 불, 공기, 흙의 표현을 위한 물리적 실험 매체가 되기도 한다.[6] 창세기의 홍수이야기를 읽어 내려가면 "하늘의 창문들이 열려"라는 구절을 보게 되는데, 이는 하늘의 상태를 설명해주는 유일한 대목이다.[7] 따라서 화가들은 폭풍우와 함께 몰려온 거대한 홍수의 이미지를 그럴듯하게 그려내기 위해 기상현상과 관련된 새로운 모티프를 '발명(invenzione)'하여 이에 적합한 기법을 적용해야 했을 것이다. 레오나르도 다 빈치(Leonardo da Vinci)의 드로잉 연작 ≪대홍수 Deluge Drawings≫(1513-1518)에는 이 같은 고민의 흔적이 결과물 곳곳에 묻어난다는 점에서 특히 주목해볼 만하다.[8] 그는 대홍수에 관한 성경의 '문자적(literal)' 해석에

---

5) Jean Bouttier, "Typologie baptême d'après saint Thomas," *La Nouvelle Revue Théologique* 76:9 (1954): 897-916

6) 지상의 네 요소 중에서 물은 투명하여 제법 깊은 곳까지 보여져야하기 때문에 다른 세 요소에 비해 재현하기 훨씬 더 어렵다. 중세와 초기 르네상스 화가들은 물의 깊이와 표면을 동시에 표현하기 위해 고민해왔다. Nadeije Laneyrie-Dagen, "De Sienne à Gand: la peinture des fleuves à la fin du Moyen Âge," in *Eau, eaux*, ed. Jackie Pigeaud (Renne: Presses universitaires de Rennes, 2016), 165.

7) "노아가 육백 세 되던 해 둘째 달 곧 그 달 열 이렛날이라. 그 날에 큰 깊음의 샘들이 터지며 하늘의 창문들이 열려 사십 주야를 비가 땅에 쏟아졌더라. 홍수가 땅에 사십 일 동안 계속된지라. 물이 많아져 방주가 땅에서 떠올랐고 물이 더 많아져 땅에 넘치매 방주가 물 위에 떠 다녔으며 물이 땅에 더욱 넘치매 천하의 높은 산이 다 잠겼더니 물이 불어서 십오 규빗이나 오르니 산들이 잠긴지라."(창세기 7:11-20)

8) 켐프는 레오나르도의 사유에 관한 통합적인 연구를 보여주었는데, ≪대홍수≫ 연작에 관해서는 다음 책 참조. "The Prime Mover," in Martin Kemp, *Leonardo da Vinci: the marvelous works of nature and man* (Oxford; New York: Oxford University Press, 2006), 271-348.

서 벗어나 자연의 끊임없는 변화에 주목하고, 궁극적으로 형태학적으로 접근하는 방법론적 가능성을 탐색한 것으로 보인다.[9] 본고는 레오나르도가 창세기 홍수에 대해 '학자로서' 제기했던 문제들을 어떻게 조형적으로 해결하면서 관점의 전환을 유도해 갔는지 추적해 본다. 이를 위해 그가 종말론적 광경에 대해 다룬 글과 드로잉을 통해 ≪대홍수≫ 연작이 지니는 다양한 함의를 고찰하고, 관찰과 직관을 종합화하는 과정에서 야기될 수 있는 표현의 문제를 드로잉의 '생성적' 기능과 연관 지어 조명해보고자 한다.

Ⅱ. ≪대홍수≫ 연작의 문헌적-시각적 원천

1. 인간의 부재와 내러티브의 파괴

레오나르도의 ≪대홍수≫는 현재 윈저 궁(Windsor Castle)의 왕립도서관(Royal Library)에 소장된 대략 10점의 드로잉 연작[10]으로, 이것이 제작된 이유는 정확히 밝혀지지 않았다.[11] 이에 대해 마틴 켐프(Martin Kemp)는 '대홍수'를 그리는 방법을 화가들

---

9) 에른스트 곰브리치(Ernst Gombrich)는 레오나르도의 드로잉을 과학과 예술 간 학문 구분의 경계를 허물고 유기적으로 접목하여 '시각 연구'의 주제로 다룬 바 있다. Ernst Gombrich, "Les Formes en mouvement de l'eau et de l'air dans les carnets de Léonard de Vinci," in *Ecologie des images* (Paris: Flammarion, 1983), 177-219.

10) 일반적으로 ≪대홍수≫ 연작은 Windsor RL(Royal Library) 12377-12386을 포함하며, 주제와 형식의 유사성 때문에 연작으로 간주된다. 그러나 학자들마다 이견이 있는데, 가령 켐프는 연작을 전부 16점으로 보고, 그 중에서 8점 (12377-8, 12380, 12382-6)이 동일한 시기에 제작됐을 것으로 판단했다. Martin Kemp, *Leonardo da Vinci: the marvelous works of nature and man* (Oxford; New York: Oxford University Press, 2006), 315.

11) 레오나르도의 『회화론 Trattato della pittura』으로 불리기도 하는 『코덱스 우르비나스 Codex Urbinas』(1480-1516)의 본문에 삽입된 이 드로잉 연작은 '최후의 심판'과 '대홍수'에 관한 회화 제작을 위해 기획된 것으로 짐작되기도 하지만, 회화로 옮겨지지 않았다. 흥미로운 것은 레오나르도가 글과 회화 그리고 드로잉에서 자연에 대한 접근방식의 차이를

도 1) 레오나르도 다 빈치(Leonardo da Vinci), 〈수목이 우거진 풍경을 뒤덮는 대홍수 *Deluge over wooded landscape*〉, 1513-1515, 종이에 펜, 갈색 잉크, 검정 분필, 16.2×20.3 cm, 윈저 궁, 왕립 도서관

에게 알려주기 위함이었다고 추측하기도 했는데, 〈수목이 우거진 풍경을 뒤덮는 대홍수 Deluge over wooded landscape〉(1513-1515)에는 비와 다양한 어두움을 그리는 방법이 짧게 기록되어 있어 이 같은 가설에 설득력을 더해준다(도 1).[12] 레오나르도는 세밀하고 힘찬 선으로 도식화된 형상을 반복하거나 사실적으로 자연적인 분위기를 표현하는 등 각 드로잉마다 다양한 그래픽적 시도를 했다. 그러나 화면의 구성방식과 그것이 주는 전체적인 인상은 드로잉들 간의 일부 차이점에도 불구하고 상당히 유사해 보인다. 화면에서 공통적으로 관찰되는 것은 무너져 내리는 바위산과 맹위를

보여주고 있다는 점이다. 이에 대한 심도 있는 연구로 다음 논문 참조. Nadeije Laneyrie-Dagen, "Les paysages de Léonard, entre 'l'innocence du regard' et la recréation de la Genèse," *Les Carnets du paysage*, 2 (1998): 70-91.

12) Carmen C. Bambach, et al., eds. *Leonardo da Vinci, Master Draftsman* (New Haven: London: Yale University Press, 2003), 630.

도 2) 레오나르도 다 빈치, 〈대홍수로 붕괴되는 산과 무너져 내리는 도시
Deluge with a Falling Mountain and Collapsing Town〉, c. 1517-1518
종이에 검정 분필, 16.3×21.0 cm, 윈저 궁, 왕립 도서관

떨치는 폭풍우이며, 강풍을 동반한 거대한 소용돌이는 구름에서 벗어나 '축소된' 풍
경 혹은 도시를 뒤덮고 있다(도 1-2). 위에서 내려다보는 '신의 관점'에서 그려진 이 스
펙터클한 풍경에서 특히 주목할 점은 인간을 비롯한 모든 생명체가 눈에 띄지 않는다
는 것이다. 그렇다면 레오나르도는 노아의 홍수 이야기에서 강조하는 핵심 중 하나인
두려움에 떠는 나약한 인간의 모습을 배제하고자 이 같은 관점을 선택했을까? 흥미로
운 것은 그가 드로잉 연작을 제작하기 수 년 전부터 대홍수에 관한 세 편의 글을 부단
히 써왔다는 점이다.[13] 창세기뿐 아니라 당시 통용되던 오비디우스(Ovidius)의 『변신

---

13) "대홍수의 재현"(15세기 말, manuscrit G., 6v, 프랑스 학사원 도서관), "대홍수의 묘사"
(1515, W. 12665r, 윈저 궁의 왕립 도서관), "대홍수와 이를 그림에 재현하는 방법"(1515 W.
12665v, 윈저 궁의 왕립 도서관), 이 세 편의 글은 다음 책에 실려 출판되었다. Jean Paul
Richter, *The literary Works of Leonardo da Vinci*, t. 1 (London and New York: Oxford
University Press, 1939), 352-357. 국내 번역본으로는 『레오나르도 다빈치 노트북』, 장 폴

이야기*Metamorphoses*』[14]를 주요 전거로 삼은 이 글들 속에 '조형적' 규범이 명시되어 있는 것은 아니지만, 인물과 상황에 대한 상세한 묘사는 읽는 이의 시각적 상상력을 자극하기에 충분하다. 가령 "대홍수와 이를 그림에 재현하는 방법(The Deluge and its demonstration in painting)"의 한 구절을 보면 인간이 사멸하는 과정이 격정적인 언어로 묘사되어 있어 대홍수가 최고조에 달한 순간을 상상했음을 짐작해볼 수 있다.

> 사람들은 절망적인 제스처로 이 같은 고문을 견딜 수 없다고 생각하고 자살했으며, 이들 중에서 어떤 이들은 암초 위에서 뛰어내렸고 또 어떤 이들은 스스로 목을 졸랐다. 몇몇은 자신의 아이들을 단숨에 쓰러뜨렸으며 또 몇몇은 자기 자신과 싸우며 신의 가호를 빌었다. 어머니들은 하늘에 손을 들고 무릎 위에 놓은 그들의 아이가 물에 잠긴 것에 통곡하며 신들의 노여움에 저주를 퍼부었다. 또 다른 이들은 손가락을 움켜진 채 피가 날 때까지 조금씩 물어뜯다가 두 손을 삼켜버렸는데, 거대하고 참을 수 없는 두려움에 굴복하여 무릎 위로 가슴을 감싸고 있다.[15]

레오나르도는 인간이 자신의 힘으로는 어찌할 수 없는 상황에 처했을 때 고조되는 감정과 그에 따른 격앙된 행동을 마치 눈앞에서 보듯 실감나게 묘사한 반면, 인간에게 다가올 구원의 희망에 대해서는 전혀 언급하지 않았다. 연작의 또 다른 드로잉에서 확인할 수 있듯이 이미지는 오히려 이 구절 앞, 즉 글의 첫 부분에 묘사된 자연이 변형되고 파괴되는 현상에 대응한다(도 3).[16] 이런 점으로 미루어볼 때, 레오나르

리히터 편(루비박스, 2006)이 있다.

14) 레오나르도가 오비디우스의 『변신이야기』의 열렬한 애독자였음은 잘 알려진 사실이다. 이를 증명하기라도 하듯 "대홍수의 재현"에는 바다의 신 넵튠(Neptune)과 바람의 신 아이올로스(Aeolus)가 언급되어 있다. Richter, *The literary Works of Leonardo da Vinci*, 352.

15) Léonard de Vinci, *Diluvio e sua dimostratione in pictura, ed. Jean Paul Richter, op. cit.*, t. 1, pp. 352-355, quoted in Pascale Dubus, "Du drame à la dramatisation. Le motif de la tempête dans la litterature artistique de la Renaissance," in *Imaginaires du vent*, ed. Michel Viegnes (Paris: Imago, 2003), 34-41.

16) "어둡고 음침한 대기를 묘사할 때에는, 반대쪽에서 부는 돌풍을 맞고 끊임없이 내린 우박과 섞인 비 때문에 불투명해졌으며, 나뭇잎이 많이 붙은 무수한 나뭇가지들이 여기저기

도 3) 레오나르도 다 빈치, 〈대홍수 *Deluge*〉, c. 1515, 종이에 검정 분필,
16.1×21 cm, 윈저 궁, 왕립 도서관

도는 성경적 동기에서라기보다 밀라노에서 루도비코 스포르차(Ludovico Maria Sforza, 1452-1508) 공작을 섬길 때부터 몰두했던 물의 운동 연구의 연장선상에서 드로잉 작업을 진행하지 않았을까 짐작해볼 수 있다. 사실 "대홍수의 묘사(Description of the deluge)"에는 켐프가 지적한 바와 같이 '추동력(impetus)'과 '충돌(percussion)'을 위시한 수력학(hydraulics)의 기술적인 용어들이 가미되어 있다.[17)]

흩날리고 있는 대기의 모습을 보여주어야 한다. 주위에는 격렬한 바람에 의해 뿌리가 뽑히고 껍질이 벗겨진 고목들이 보일 것이다. 그리고 강이 범람해 넓은 저지대와 그곳의 이주민들이 물에 잠길 때까지, 이어 급류에 의해 씻겨 내려져 헐벗은 상태가 된 산의 파편들이 골짜기를 메운다." 『레오나르도 다빈치 노트북』, 장 폴 리히터 편, 414.

17) 레오나르도는 '무게(weight)', '힘(force)', '추동력(impetus)', '충돌(percussion)'을 운동 이론의 핵심으로 삼았는데, 이는 중세 후기의 자연철학에서 비롯된 것이며, 멀게는 아리스토텔레스의 원칙 위에 세워진 것이다. Martin Kemp, *Leonardo da Vinci: experience, experiment, and design* (London: V&A Publications, 2006), 42, 45.

"그리고 물결은 솟아오르고 아래로 떨어지는 가운데 무게와 힘을 얻게 됨에 따라, 수면에 부딪힌 후에는 바닥에 도달하기 위해 물밑을 관통하고 아래로 격렬히 돌진할 것이다. 깊은 곳에서 다시 솟아오른 물결은 물속에 잠겼던 공기를 운반하면서, 호수의 수면으로 되돌아온다."[18]

에크프라시스(ekphrasis)[19]를 사용한 것으로 여겨질 정도로 치밀하게 묘사된 이 구절은 물과 물이 충돌했을 때 생기는 특징적인 형태를 그린 레오나르도의 다양한 역동적인 드로잉과도 맞닿아 있다. 예를 들어 〈소용돌이 흐름과 지하 수로에서 떨어지는 물의 연구 Studies of turbulent flow and water pouring from a culvert〉(1507-09)의 핵심은 순간을 포착하는 데 있는 것이 아니라 움직임을 전달하는 과정을 보여주는 데 있다(도 4). 우측 상단에는 물의 거센 흐름에 직사각형의 장애물이 각을 바꾸는 과정이 그려져 있으며, 그 아래에는 이보다 더 인상적인 흐름을 보여준다. 즉 지하 수로에서 잠잠한 웅덩이로 쏟아

도 4) 레오나르도 다 빈치, 〈소용돌이 흐름과 지하 수로에서 떨어지는 물의 연구 Studies of turbulent flow and water pouring from a culvert〉 1507-09, 종이에 펜과 잉크, 29×20.2 cm, 윈저 궁, 왕립 도서관

18) 『레오나르도 다빈치 노트북』, 418.

19) 에크프라시스는 고대 수사학의 한 영역으로, 시각적인 표상을 언어적인 표상으로 전환시키는 기술을 가리킨다.

진 물줄기는 물의 파장을 일으키며 수면 위에 물거품을 생성하고 있다. 또 흐르는 물은 수면 아래에서 강하게 회전하면서 깔때기 모양의 소용돌이를 만들고, 수면 위로는 기포를 일으키며 나선형을 그리지만 다시 잠잠해진다. 이 같은 파동적 특성으로 인해 상승과 하강 곡선을 그리는 물의 운동은 "이론과 관찰 그리고 그래픽 경험"[20]이 조합된 시각적 결과로서 ≪대홍수≫ 연작에도 영향을 미쳤을 것이다. 따라서 관찰과 허구(fiction)를 혼합한 세 편의 글들을 얼마 후에 레오나르도가 착수할 ≪대홍수≫ 연작과 관계된 유일한 작업으로 보기 어렵다. 그렇다고 해서 물의 역학적 성질에 관해 다룬 드로잉과 ≪대홍수≫ 연작을 직접적으로 연관시키는 것 역시 조심스러운 것은 사실이다. 이에 대한 기록이 없기 때문이기도 하지만, 앞서 본 드로잉에서처럼 전자는 텍스트를 동반하는 반면, 후자는 하나의 독립된 작품으로 간주될 만큼 드로잉이 화면 전체를 메우고 있기 때문이다.

한편 이 연작에서 희생자인 인간과 동물이 자취를 감춘 것은 자연의 파괴적 힘에 기인한 거대한 규모의 재난임을 강조하려는 레오나르도의 의도로 볼 수 있다.[21] 그가

도 5) 레오나르도 다 빈치, 〈종말론적 폭풍우 *Apocalyptic Storm*〉, 15세기 말 혹은 16세기 초, 종이에 검정 분필, 펜, 잉크, 27.0×40.8 cm, 윈저 궁, 왕립 도서관

20) Kemp, *Leonardo da Vinci: experience, experiment, and design*, 42.
21) Kemp, *Leonardo da Vinci: the marvelous works of nature and man*, 318.

연작을 진행하기 전부터 제작해온 드로잉들 중 특히 폭풍우를 묘사한 드로잉을 보면 인간이 자연의 무수한 창조물 가운데 하나일 뿐임을 발견하게 된다. 가령 15세기 말 혹은 16세기 초의 드로잉 〈종말론적 폭풍우 Apocalyptic Storm〉의 하단 오른쪽 부분에는 인간의 나체와 말이 바람에 대항해서 헛되게 싸우는 모습이 묘사되어 있다(도 5).『레오나르도 다 빈치 노트북』에서 그가 "바람을 재현해내는 것은 바람이 불어서 생기는 현상들에 의해 가능하다"[22]라고 기술한 것처럼, 거대한 나무를 쓰러뜨리는 바람은 비와 구름 등 모든 것과 합쳐져 제대로 된 형체를 분간할 수 없게 만드는 역할을 한

다. 즉 유한한 존재가 생략되어 맹위를 떨치는 폭풍우만 남게 된 것이다.

이와 유사한 예로서 〈종말론적 광경 Scenes of the Apocalypse〉(1511-12)에는 텍스트와 함께 몇몇 스케치가 일정한 간격을 두고 배치되어 있다(도 6). 레오나르도는 왼손잡이였으므로 우측 상단의 구름 스케치부터 시작했을 것이다.[23] 중앙 하단에는 파열 화산의 분출구에서 거대한 뭉게구름이 위로 높게 솟아 비를 퍼붓고 있다. 바로 그 옆에는 해골이 무리를 이루어 작게 그려져 있는데 이들이 신의 심판에 의해 멸하고 부활한 육신이라고 보기 어렵다. 레오나르도는 이 두 장면을 나란히 배치하

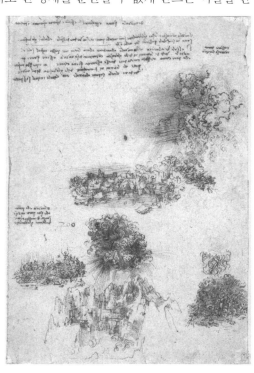

도 6) 레오나르도 다 빈치, 〈종말론적 광경 Scenes of the Apocalypse〉, 1511-12, 종이에 펜과 연필, 30×20.3 cm, 윈저 궁, 왕립 도서관

---

22)『레오나르도 다 빈치 노트북』, 470.
23) Günther Neufeld, "A Drawing by Leonardo," *The Art Bulletin* 28: 1 (March 1946): 47.

면서 인류의 종말은 신의 개입 없이 자연현상에서 기인한 것임을 보여주려 했던 것일까? 어쨌든 여기서 주목 해야 할 것은 "대기현상에서 공포스러운 비전으로 이행하는 과정"이 레오나르도에게는 꽤 직관적이었다는 것이다.[24]

2. 종말론적 광경?

종말을 연상시키는 이러한 작은 규모의 드로잉, 그리고 더 나아가 ≪대홍수≫ 연작이 도미니쿠스회 수도사 지롤라모 사보나롤라(Girolamo Savonarola)의 등장과 함께 1500년 전후 피렌체에 닥쳤던 위기를 직접적으로 표상하는 작업이라고 보는 것은 확대해석일수 있다. 하지만 시야를 좀 더 넓혀보면 15세기 말 울름(Ulm)에서 헤이케 탈켄베르거(Heike Talkenberger)의 책이 출판된 이후 1524년 2월 세계적으로 대홍수가 일어나게 될 것이라는 예측이 전 유럽으로 퍼져나갔음을 알 수 있다.[25] 이토

도 7) 미켈란젤로 부오나로티(Michelangelo Buonarroti), 〈대홍수 *Deluge*〉, 1508-09, 프레스코, 280×570 cm, 바티칸, 시스티나 예배당

---

24) 앞의 논문, 47.

25) Heike Talkenberger, *Sintflut. Prophetie und Zeitgeschehen in Texten und Holzschnitten astrologischer Flugschriften, 1488-1528* (Tübingen: Max Niemeyer Verlag, 1990), quoted in Dubus, "Conjurer le grand déluge de 1524. Peinture et pronostic au début du Cinquecento," 233.

록 공포스러운 시기에 '대홍수'를 주제로 한 그림의 주문이 크게 늘어났는데, 당시 화가들은 하나의 독립된 이야기로 그려내기보다 주로 도상적 프로그램의 일부로 구성하여 "국지적인 홍수"처럼 보이도록 했다.[26] 대표적인 예로는 바티칸 궁정 내 시스티나 예배당의 미켈란젤로(Michelangelo Buonarroti)의 천장화 중 한 장면인 〈대홍수 Deluge〉(1508-09)를 꼽을 수 있다(도 7). 여기서 메마른 땅 위에 역동적인 인체가 화면을 점령하고 있는 가운데, 후경으로 밀려난 작은 규모의 구름을 통해 소나기가 쏟아지고 있음을, 그리고 쓰러진 나무를 통해 광풍이 불고 있음을 짐작할 수 있을 뿐이다. 사실 홍수를 지엽적으로 다룬 점은 레오나르도에게 있어 '보편성'을 무시하는

도 8) 라파엘로 산치오(Raffaello Sanzio), 〈대홍수 Deluge〉,
1519, 프레스코, 바티칸 로지아

---

26) 이러한 조형적 해석에는 예언에 대해 반박하거나 조심스러운 입장을 내비친 학자들과 천문기상학자들의 생각과 다소 일치하는 면이 있다. 이에 대한 자세한 설명으로 다음 논문 참조. Dubus, "Conjurer le grand déluge de 1524. Peinture et pronostic au début du Cinquecento," 241-242.

도 9) 파올로 우첼로(Paolo Uccello), 〈대홍수 *Deluge*〉, 1447-48, 프레스코,
215×510 cm, 피렌체, 키오스트로 베르데, 산타 마리아 노벨라 수도원

것으로 비춰질 수 있는 문제였다.[27] 또 다른 예로는 바티칸 로지아에 있는 라파엘로 (Raffaello Sanzio)의 프레스코 연작 중 하나인 〈대홍수 Deluge〉(1519)를 들 수 있다(도 8). 거대한 구름 덩어리로 덮인 하늘에서 비가 대각선 방향으로 내리치는 가운데 좁은 틈 사이로 번쩍이는 섬광과 함께 떨어지는 한 줄기 벼락은 15세기 중반 파올로 우첼로(Paolo Uccello)가 그린 〈대홍수 Deluge〉(1447-1448) 속 그것을 상기시킨다(도 9). 우첼로는 전경에 비스듬한 줄무늬를 그어 흐르는 빗줄기를 표현하고, 쓰러진 나무를 통해 성경에 언급되지 않은 강풍이 불고 있음을 짐작할 수 있도록 구성했다. 두 화가는 대 플리니우스의 표현대로 '그리기 불가능한 것'을 재현해낸 것이다.

에르베 브루농(Herve Brunon)이 설명한 것처럼 우첼로의 '과감한' 혁신'이 구현된 작품을 위시해서 15세기 중반부터 이탈리아 화가들은 기상현상을 그리는 데 뛰어난 솜씨를 보여주기 시작했다.[28] 따라서 1524년 이전에 친쿠에첸토 화가들이 폭풍우의

27) Kemp, *Leonardo da Vinci: the marvellous works of nature and man*, 334. 곰브리치는 미켈란젤로의 '황폐한 풍경'에 대한 반동으로 레오나르도가 〈대홍수〉 연작을 제작했을 거라고 추측하기도 했다. Gombrich, "Les Formes en mouvement de l'eau et de l'air dans les carnets de Léonard de Vinci," 208-210.

28) Herve Brunon, "Figurer le tumulte du monde: peinture et météorologie a la Renaissance," in *L'art de la Renaissance entre science et magie*, ed. Philippe Morel

지엽적인 묘사를 통해 '대홍수'의 극적인 성격을 다소 약화시켰다면, 이는 '의도적'이라고 보아야 할 것이다.[29] 이에 반해 레오나르도는 당시 대중이 느꼈을 공포와 혼란을 인지하고 있었음에도 그래픽 수단을 이용해 무자비한 재난을 오히려 극화했다. 이는 대홍수가 임박했음을 시사하는 것일 수도 있지만, 파스칼 뒤뷔(Pascale Dubus)의 해석대로라면 폭풍우를 길들임으로써 재난을 막아내는 "이미지의 마법"을 보여주는 것일 수도 있다.[30] 물론 레오나르도의 ≪대홍수≫ 연작은 개인의 호기심에서 시작된 작업이므로 교황이나 교회의 주문을 받고 그려진 작품들과 비교하는 것 자체가 어불성설이다. 그런데도 이 연작을 의미 있게 볼 수 있는 이유는 이를 기점으로 후대의 많은 화가들이 폭풍우가 치는 스펙터클한 광경을 강도 높게 표현해나갔기 때문이다. 앞선 사례를 다시 살펴보면, 화면 중앙에 나무가 뿌리 채 뽑힌 것을 비롯해 모든 경계가 해체되고 허물어져 가는 자연 속에는 노아와 그의 가족을 위시한 어떠한 생존자도 보이지 않는다(도 3). 이러한 점들을 종합해보면, 레오나르도는 인류를 구원해줄 '의인'[31]과 신이 모두 부재하는 '카오스(chaos)의 세계'의 귀환을 상상하며 초자연적인 현현(顯現) 현상을 우주의 종말론적 비전으로 대체한 것[32]이라고 결론 내릴 수 있을 것이다. 하지만 앞서 본 레오나르도의 글과 드로잉을 고려할 때, ≪대홍수≫ 연작을 성서적 문맥에서 완전히 벗어나 있는 것으로 간주하기보다 그 연장선상에서 역사적 문제를 제기한 것으로 보는 것이 더욱 설득력 있는 해석일 것이다. 레오나르도가 연작을 통해 보여주고자 한 것은 천지 창조 이전의 혼돈의 상태가 아닌 신의 의지가 지배하는 우주(cosmos)의 마지막 단계였기에 더욱 그렇다. 그는 재난을 가져오는

(Paris: Somogy éditions d'art, 2006), 363.

29) Dubus, "Conjurer le grand déluge de 1524. Peinture et pronostic au début du Cinquecento," 240.

30) 위의 논문, 244.

31) 창세기 6:9.

32) 레오나르도는 우주의 마지막 순간에 대해 다음과 같이 묘사했다: "모든 요소들은 거대한 덩어리 안에 혼합되어 지구의 중심으로 또는 하늘로 굴러가는 듯 보인다." Léonard de Vinci, *Les Carnets de Leónard de Vinci*, vol. II, 491, quoted in Nadeije Laneyrie-Dagen, *L'invention de la nature: les quatre éléments à la Renaissance ou le peintre premier savant* (Paris: Flammarion, 2008), 246.

파괴적 양상이 드로잉의 본질 및 표현방식과 어떻게 접목될 수 있는지의 문제에 천착했던 것으로 보인다.

Ⅲ. 드로잉에 대한 탐색: '생성적' 힘과 직관적 효과

레오나르도가 제기한 창세기 홍수의 역사적 진위 여부는 결국 신이 일으킨 대홍수에 자연법칙을 적용할 수 있느냐 하는 문제로 좁혀진다. 그는 하나님의 개입으로 발생한 대홍수가 과연 전 세계적이었는지, 그리고 40일 동안 계속된 폭우가 지구의 전 표면을 덮었다면 그 후에는 어떻게 빠져나갔을 지에 대해서도 고민했다.[33] 또 기독교 교부들과 달리, 대홍수만으로 산악지대의 화석화된 조개껍질의 현존을 해명할 수 있다고 생각하지 않았다.[34] 여러 지층에 걸쳐 조개껍질이 발견되려면 수차례 큰 홍수를 거쳐야하기 때문이다. 요컨대 레오나르도는 창세기 홍수를 인정하면서도 이보다 더 오래 지속된 또 다른 재난들이 있었다고 믿었다.[35] 일부 학자들은 레오나르도의 ≪대홍수≫ 연작이 당시 이탈리아의 몇몇 지역에서 발생했던 폭풍우나 지진을 직접 묘사한 것이라고 주장하기도 한다. 레오나르도는 '대홍수'를 물의 위력이 가할 수 있는 자연재해와 연관시켜 조명하면서 지속적인 관찰과 경험에서 도출한 보편적 법칙을 통해 우주가 주기적으로 순환하는 가운데 이 법칙에서 벗어난 자연은 세계를 종말로 이끌 것으로 이해했다. 이때 대홍수의 성경적 의미는 자연히 약화된다. 창세기에 따르면 하나님은 변하지 세계를 창조했기 때문이다. 이 점에 대해 케네스 클라크(Kenneth Clark)는 드로잉의 출발점은 종말론적 사색이라는 데 동의했지만, 중세인들이 생각했던 세계 종말이라든가 동방의 상징체계와는 다른 세계로의 입문이라고 설명하면서 그 원동력은 레오나르도가 자연에서 얻은 과학적 지식과 물질이

---

33) Léonard de Vinci, *Les Carnets de Léonard de Vinci*, trans. Louise Servicen, vol. I (Paris: Gallimard, 1942), 333.

34) Brunon, "Figurer le tumulte du monde: peinture et météorologie à la Renaissance," in *L'art de la Renaissance entre science et magie*, 361.

35) Kemp, *Leonardo da Vinci: experience, experiment, and design*, 48.

갖는 비밀스런 힘에 대한 직관의 결합에 있다고 역설하였다.[36] 앙드레 샤스텔(André Chastel) 역시 레오나르도의 그래픽 작업에 발현된 우주론적 사유에 주목했는데, 특히 생애 마지막 시기의 드로잉들에 대해서는 창조의 법칙에 따라 끊임없이 변화하는 이미지라고 규정했다.[37]

이러한 여러 가설들을 종합해보면, ≪대홍수≫ 연작은 지질형성과정의 문제들의 탐구와 엄청난 양의 물이 어떻게 풍경을 변화시키는지에 대한 연구를 통해 도달한 자연스러운 결과물로 볼 수 있다.[38] 또한 그렇기에 레오나르도가 직접 탐색한 것을 드로잉으로 옮기는 작업은 직관적인 표현 방법과 세계를 이성적으로 인식하는 방법 간의 상호작용 과정으로 이해할 수 있겠다. 사실 레오나르도가 '대홍수' 재현의 문제에 천착한 것은 소용돌이치는 태풍과 홍수 등 고정된 형체가 없고 제어되지 않는 대상을 표현하는 것이 화가의 뛰어난 역량을 넘어 회화의 '신성한 성격'을 부각시킬 수 있다고 생각한 데 있기도 하다.[39] 그에게 있어서 회화가 "자연의 진리를 보여주는 주요한 매개체"라면, 회화의 토대가 된 것은 드로잉이라 할 수 있다.[40] 다니엘 아라스(Daniel Arasse)는 드로잉과 회화의 이중적 '신성(deita)'에 관한 내용을 『코덱스 우르비나스』에서 발췌하여 다음과 같이 설명한다.

도안화가와 화가는 "자연의 창조물을 탐구한다(fol. 50r)"는 점에서 "신의 손자"이지만, 드로잉은 이러한 "탐구" 유형에 만족하지 않는다: 드로잉은 "[자연을

---

36) Kenneth Clark, *L'Art du paysage*, trans. André Ferrier and Françoise Falcon (Paris: R. Julliard, 1962), 75.

37) Léonard de Vinci, *Traité de la peinture*, trans. and ed. André Chastel (Paris: Berger Levrault, 1987), 16.

38) 마이클 화이트, 『(레오나르도 다빈치) 최초의 과학자』, 안인희 옮김 (사이언스 북스, 2004).

39) 이 소재들은 레오나르도와 미켈란젤로 간에 벌어진 회화와 조각의 우위성에 대한 "파라고네(paragone)" 논쟁의 중요한 평가 기준이기도 했다. Léonard de Vinci, *Traité de la peinture*, 116; Kemp, *Leonardo da Vinci: the marvellous works of nature and man*, 334-335.

40) Martin Kemp, "From 'mimesis' to 'fantasia': The Quattrocento Vocabulary of Creation, Inspiration and Genius in the Visual Arts," *Viator* 8 (1977): 376.

벗어나는] 무한한 창조물을 만들어내므로(fol. 50r)," 신성(deita)인 것이다. 회화의 경우 "자연의 손녀와 신의 어머니"일 뿐 아니라 "신성한 과학(fol. 7r)"이며 "회화의 신성한 성격은 화가의 정신이 신의 정신의 이미지로 변화한다는 데에 있다(fol. 36r)"[41]

위의 구문 뒤에는 "화가는 자유로운 역량으로 다양한 종을 창조하는 데 몰두하기 때문이다"라는 문장이 이어지는데, 레오나르도가 작품을 제작한다는 의미로 '모방하다(imitare)'라는 표현대신 '창조하다(creare)'라는 표현을 처음으로 사용한 점은 미술사적 맥락에서 의미심장하다.[42] 화가의 창조적 사고는 회화의 "신성한 성격"과 드로잉의 "신성" 사이에 상관관계가 있음을 드러내주기에 더욱 그러하다. 이처럼 레오나르도가 드로잉에 부여한 특성을 고려해볼 때, 그의 《대홍수》 연작은 애초에 기획되었을 회화라는 결과물에 도달하기 위한 단순한 습작도 아니고 극적인 자연의 스펙터클을 즉흥적으로 그린 그림도 아니다. 오히려 '대홍수'는 현상 그 자체가 아니라 자연 세계의 형태와 움직임에 대한 그래픽적 탐색의 대상이라 할 수 있다. 레오나르도가 회오리 바람과 선회하는 물에서 소용돌이 모티프의 다양한 패턴을 추출하여 그래픽의 연속체를 형성한 것은 "자연의 율동적인 움직임들을 탐사하는 방법이다." 이는 자연을 흉내 낸 양식화 과정이라기보다는 "자연에서 만들어지는 모든 조율의 형태"를 탐구하여 작품 속에 담아내는 과정으로 이해할 수 있다.[43]

그런데 에른스트 곰브리치(Ernst Gombrich)는 소용돌이치는 물과 물의 충돌에 관한 드로잉을 사례로 들어 이 같은 유형은 "레오나르도의 이론적 제안내용을 설명하는 도식"이지 스냅사진 같은 직관적 관찰의 결과라고 보기 어렵다고 판단하였다(도

---

41) Daniel Arasse, "La science divine de la peinture selon Léonard de Vinci," in L'art de la Renaissance entre science et magie, 343.

42) Léonard de Vinci, Traité de la peinture, 116.

43) Adrian Parr, Exploring the work of Leonardo da Vinci within the context of contemporary philosophical thought and art From Bergson to Deleuze (Lewinston: Edwin Mellen, 2003), quoted in 필립 볼, 『흐름: 불규칙한 조화가 이루는 변화』, 김지선 역 (사이언스 북스, 2014), 19-20.

4).[44] 종이에 기록되는 것은 시각의 인상을 구조화하는 도식적 체계라는 것이다. 데이빗 로잔드(David Rosand)는 곰브리치가 레오나르도의 드로잉 과정을 지나치게 단순화한다고 지적하고, "드로잉을 하는 과정에서 레오나르도의 비전이 더욱 명확해진다"고 주장했다.[45] 이들의 상이한 입장은 옳고 그림을 떠나서 레오나르도의 드로잉이 과학 분야와 예술 분야에서 상반되는 양상을 띠고 있음을 방증해준다. 다양한 관찰을 통합하는 '과학적 드로잉'은 그래픽적 정확성을 필요로 하는 만큼 선이 최소화된다. 반면 그림을 구상하는 과정에서 사물의 정확한 형태를 파악하여 올바른 윤곽에 도달하려면 몇몇 단계가 필요한데, 레오나르도는 그 첫 단계를 '직관적 착상(componimento inculto)'이라고 불렀다.[46] 이는 처음부터 하나의 선으로 뚜렷한 윤곽을 그리는 것이 아니라 대략적인 선을 겹쳐 그으면서 주요 형태가 아직 드러나지 이른바 '카오스'의 단계이다.[47]

그렇다면 ≪대홍수≫ 연작은 직관적 탐색의 결과물로 볼 수 있을까? 언뜻 보면 그렇지만, 그의 작업과정을 고려해 보면 오히려 이에 역행한다.[48] 각 드로잉의 초안이 구체적인 형체로 시작되었다면, 전면은 관찰하고 지우고 그리고를 반복하는 과정을 거쳐 무수한 선의 중첩으로 채워지면서 본래의 형체를 잃은 탓에 착상의 단계로 회

---

44) Gombrich, "Les Formes en mouvement de l'eau et de l'air dans les carnets de Leonard de Vinci," 194.

45) David Rosand, *La trace de l'artiste : Léonard et Titien*, trans. Jeanne Bouniort (Paris: Gallimard, 1993), 50.

46) 이에 대한 좀더 상세한 논의로는 다음 논문 참조. Daniel Arasse, "La science divine de la peinture selon Léonard de Vinci," in *L'art de la Renaissance entre science et magie*, 343-356.

47) 곰브리치는 이 방식이 이전의 화가들이 그림의 준비단계에서 긋는 "확실한" 선의 위엄에 반한다는 점을 들어 드로잉의 혁명으로 보았다. Ernst Gombrich, "Leonardo's Method for Working out Compositions," in *Norm and Form. Studies in the art of the Renaissance* (London: Phaidon Press, 1966), 58-63.

48) Claire Farago, ed. *An Overview of Leonardo's Career and Projects until c. 1500* (New York: Garland, 1999), 63.

귀한 것처럼 보이기 때문이다(도 1-3).[49] 이렇듯 광막한 공간을 힘차게 휘도는 소용돌이는 내적으로 결집된 힘을 발산시키고 끝없는 유동성의 세계를 만들어내면서 '혼란'을 자아내고 있다. 레오나르도는 그의 연작 중 마지막 작품으로 짐작되는 〈대홍수 Deluge〉(1517-1518)에서 폭풍우의 절정을 그려내기 위해 아예 시작부터 일련의 집이나 나무 등 구체적인 형상을 염두에 두지 않고 '직관적 착상'을 계속해 가는 방식을 취한 것 같다(도 10). 그럼에도 불구하고 이러한 직관적 효과는, 앞서 살펴보았듯이, 공기와 물 같은 지상의 물질들의 법칙과 그 움직임에 대해 레오나르도가 오랫동안 행해왔던 연구에서 비롯된 것으로 판단되어야 할 것이다. 실제로 그는 많은 작품을 미완성으로 남겨두고 초안 작업을 거듭해 나가곤 했는데,[50] 이러한 방식은 형태

도 10) 레오나르도 다 빈치, 〈대홍수 Deluge〉, 1517-1518, 종이에 검정 분필, 15.8×21 cm, 윈저 궁, 왕립 도서관

---

49) "직관적 착상"에 대해 샤스텔은 "형태가 완성되지 않은 초안(ebauche informe)"으로 해석하였다. André Chastel, "introduction," in Léonard de Vinci, *Traité de la peinture* (Paris: Club des Libraires de France), XVII, quoited in Arasse, "La science divine de la peinture selon Léonard de Vinci," 347.

50) Gombrich, "Leonardo's Method for Working out Compositions," 58-63.

를 명확하게 나타내기 위한 과정이자 결과라 할 수 있다.

　아라스에 의하면 레오나르도의 드로잉에서 일련의 형태의 발생을 가능하게 하는 것은 '선의 움직임'이다.[51] 드로잉은 움직이는 선으로 형태를 생성하는 힘을 증명하므로 "완성된 형태는 본래의 역동성을 내세워야 한다"는 것이다.[52] 이 같은 움직임에 의해 생성된 소용돌이 및 나선은 레오나르도가 탐구해온 물의 움직임과 머리카락의 움직임 그리고 새의 비상에 관한 드로잉에서도 확인되는 전형적인 형태이다. 그는 형태 인식에 필요한 것은 무엇보다도 움직임을 관찰하는 것이라고 생각했는데, 움직임은 외견상 직관으로 파악되는 것처럼 보이지만 그 궤적을 정확하게 파악하기란 매우 어렵다. 이를 고려하더라도 레오나르도가 ≪대홍수≫ 연작에서 관찰과 예측을 통해 발견해낸 자연현상의 무한한 움직임을 소용돌이 형태로 패턴화한 것, 즉 "보이지 않는 것을 보이도록" 만들기 위해 형태의 윤곽선을 설정한 것은 그 자체로 그의 창조적 발상을 엿볼 수 있게 한다.[53] 정확한 관찰을 토대로 한 물의 연구 드로잉에 나타난 소용돌이가 전체화면 비율로 확장된 것처럼 보이는 것도 그가 심리학 체계를 과학적 문맥 속에 놓인 예술적 상상력과 접목시켰기에 가능한 것이었다.[54] 레오나르도는 작품 활동 초기에 '상상력(immaginazione)'과 '환상(fantasia)'이란 용어를 서로 바꿔 사용하곤 했는데, 예술가에게 "환상을 통해 자연의 효과를 만드는 방법"을 배울 것을 권고한 것은 결국 예술 창조과정에서 작용하는 상상력의 이성적 기능과 상통한다고 보았기 때문이다.[55]

　레오나르도가 상상력 혹은 환상을 드로잉 작업에 활용해 폭풍우의 시각적인 '충

51) Arasse, "La science divine de la peinture selon Léonard de Vinci," 353.

52) Daniel Arasse, *Léonard de Vinci, Le rythme du monde* (Paris: Hazan, 1997), 17.

53) 레오나르도는 『회화론』에서 그림의 '신성한 성격'을 칭송한 바 있다. "그림은 우주의 조화로운 본질이 도달하는 곳이다: 보이지 않는 것은 보이는 것을 통해 드러난다." André Chastel, *Art et Humanisme à Florence. Au temps de Laurent le Magnifique. Etude sur la Renaissance et l'Humanisme platonicien* (Paris, Presses Universitaires de France, 1959), 411-427.

54) 레오나르도는 예술 창조과정에서 작용하는 상상력의 이성적 기능에 주목한 바 있다. Kemp, *Leonardo da Vinci: the marvelous works of nature and man*, 147.

55) Urb. fol. 24v (MCM. 48), quoted in Kemp, "From 'mimesis' to 'fantasia'," 380.

격' 효과를 배가시켰다면, 이는 관찰자로 하여금 태풍이 몰아치는 광경을 생생하게 연상할 수 있게 하기 위함이며, 동시에 이 참혹한 광경이 '가장된(feigned)' 현실임을 인식하게 하여 실제 위험에서 벗어난 이들에게 시각적 유희를 제공하면서도 새로운 비전을 떠올리게 하기 위함일 것이다. 요컨대 레오나르도의 작품 속에 나타난 실재와 허구라는 두 개의 시각적 질서는 형태 발생적 원칙에 따라 혼돈 속에 생성되며 소멸되는 세계에 대한 내러티브를 암시한다고 하겠다.

IV. 결론

레오나르도가 창세기 홍수에 품었던 의문은 그 표현방식에 대해 다양하고 집요하게 고민하도록 이끌었다. 관찰과 직관, 실제와 상상 등 서로 상충되는 요인들 사이의 보편적인 최선의 균형점을 찾기 위해 학자와 예술가가 각기 형태적으로 추구하는 목적 사이의 간격을 좁히는 일은 그에게 무엇보다 중요했던 것으로 보인다. 레오나르도는 폭풍우의 위력을 구조 없는 카오스에 빗대어 표현하기보다 소용돌이 패턴을 통해 생생하게 보여주고자 했는데, 이것은 다양한 선이 빚어내는 움직임의 힘이지 일련의 패턴을 따라 얻게 된 물질적 대상이 아니다. 이렇게 볼 때, 대홍수가 상정하는 종말은 문자 그대로의 종말이 아니라 그 속에 담긴 신화적 성격이 약화되어 자연법칙을 따라야 하는 것으로, 그리고 더 나아가 회화의 구성 법칙의 변화를 은유하는 것으로 읽혀질 수 있겠다.[56] 알베르티는 『회화론』(1435)에서 재현은 "눈에 보이는 것들(cose vedute)"과의 관계를 전제로 하며, '역사화(istoria)'를 재현할 때 등장인물 사이에는 적절한 공간을 두어야 한다고 역설한 바 있다.[57] 레오나르도는 1500년 이후 알베르티의 저서를 주의 깊게 연구하였는데, 보이는 것과 보이지 않는 것 그리고 형상과 배경 사이의 구분을 허물어뜨리는 방식은 설사 서사적 흐름을 방해한다 하더라도 알

---

56) Lucien Vinciguerra, *Archéologie de la perspective. Sur Piero della Francesca, Vinci et Dürer* (Paris: Presses Universitaires de France, 2007), 81.

57) 알베르티, 『알베르티의 회화론』, 노성두 역 (사계절, 1998), 65, 80.

베르티가 역사화에 부여한 한계를 넘었다는 데에 의의를 둘 수 있다. 그러나 다른 한 편으로는 필립 볼(Philip Ball)의 말처럼 레오나르도가 "유체의 흐름 현상이 진지하게 연구할 가치가 있다는 주장을 본격적으로 제기한 최초의 서양 과학자"였을 지라도, "흐름을 패턴, 형태, 유선의 유희로 연구한 것은 서양 미술에 어떤 흔적도 남기지 않은" 것이기도 하다.[58] 그럼에도 불구하고 레오나르도가 ≪대홍수≫ 연작에서 시도한 드로잉에 대한 탐색은 이후 세계의 질서를 뒤 흔드는 자연재해를 다룬 그림에 관한 이론적 담론을 생산하는 틀을 마련하는 데 기여했다는 점에서 그 의의를 찾을 수 있을 것이다.

주제어(Keyword)
레오나르도 다 빈치(Leonardo da Vinci), 대홍수 연작(Deluge Drawings), 소용돌이(vortex), 카오스(chaos), 폭풍우(storm), 직관적 착상(componimento inculto)

58) 필립 볼, 『흐름: 불규칙한 조화가 이루는 변화』, 김지선 역 (사이언스 북스, 2014), 27-28.

참고문헌

『레오나르도 다빈치 노트북』, 장 폴 리히터 편. 루비박스, 2006.

알베르티, 『알베르티의 회화론』, 노성두 역. 사계절, 1998.

필립 볼, 『흐름: 불규칙한 조화가 이루는 변화』, 김지선 역. 사이언스 북스, 2014.

Arasse, Daniel. *Léonard de Vinci. Le rythme du monde*. Paris: Hazan, 1997.

Bambach, Carmen C., et al., eds. *Leonardo da Vinci, Master Draftsman*. New Haven: London: Yale University Press, 2003.

Bouttier, Jean. "Typologie baptême d'après saint Thomas." *La Nouvelle Revue Théologique* 76:9 (1954): 897-916.

Chastel, André. *Art et Humanisme à Florence. Au temps de Laurent le Magnifique. Etudesur la Renaissance et l'Humanisme platonicien*. Paris: Presses Universitaires de France, 1959.

Clark, Kenneth. *L'Art du paysage*, trans. André Ferrier and Françoise Falcon. Paris: R. Julliard, 1962.

Dubus, Pascale. "Du drame à la dramatisation. Le motif de la tempête dans la littérature artistique de la Renaissance." In *Imaginaires du vent*, ed. Michel Viegnes, 34-41. Paris: Imago, 2003.

Dubus, Pascale. "Conjurer le grand deluge de 1524. Peinture et pronostic au début du Cinquecento." *Bibliotheque d'Humanisme et Renaissance* 76:2 (2014): 233-253.

Gombrich, Ernst. "Leonardo's Method for Working out Compositions." In *Norm and Form. Studies in the art of the Renaissance*. London: Phaidon Press, 1966.

Gombrich, Ernst. "Les Formes en mouvement de l'eau et de l'air dans les carnets de Léonard de Vinci." In *Ecologie des images*. Paris: Flammarion, 1983, 177-219.

Farago, Claire, ed. An *Overview of Leonardo's Career and Projects until c. 1500*. New York: Garland, 1999.

Kemp, Martin. "From 'mimesis' to 'fantasia': The Quattrocento Vocabulary of Creation, Inspiration and Genius in the Visual Arts." *Viator* 8 (1977): 347-398.

Kemp, Martin. *Leonardo da Vinci: experience, experiment, and design*. London: V&A Publications, 2006.

Kemp, Martin. *Leonardo da Vinci: the marvelous works of nature and man*. Oxford;
New York: Oxford University Press, 2006.

Laneyrie-Dagen, Nadeije. "Les paysages de Léonard, entre 'l'innocence du regard' et la
recréation de la Genèse." *Les Carnets du paysage*, 2 (1998): 70-91.

Laneyrie-Dagen, Nadeije. *L'invention de la nature: les quatre elements à la Renaissance
ou le peintre premier savant*. Paris: Flammarion, 2008.

Laneyrie-Dagen, Nadeije. "De Sienne à Gand: la peinture des fleuves à la fin du Moyen
Âge." In *Eau, eaux*, ed. Jackie Pigeaud, 165-180. Renne: Presses universitaires
de Rennes, 2016.

Léonard de Vinci, *Les Carnets de Léonard de Vinci*, trans. Louise Servicen, vol. I. Paris:
Gallimard, 1942.

Léonard de Vinci, *Traité de la peinture*, trans, and ed. André Chastel. Paris: Berger
Levrault, 1987.

Morel, Philippe, ed. *L'art de la Renaissance entre science et magie*. Paris: Somogy
éditions d'art, 2006.

Neufeld, Gunther. "A Drawing by Leonardo." *The Art Bulletin* 28: 1 (March 1946): 47-
49.

Pline l'Ancien. *Histoire naturelle*, XXXV, ed. and trans. Jean-Michel Croisille. Paris: Les
Belles Lettres, 1997.

Richter, Jean Paul. *The literary Works of Leonardo da Vinci*, t. 1. London and New
York: Oxford University Press, 1939.

Rosand, David. *La trace de l'artiste: Léonard et Titien*, trans. Jeanne Bouniort. Paris:
Gallimard, 1993.

Vasari, Giorgio. *Les vies des meilleurs peintres, sculpteurs et architectes*, ed. André
Chastel, t. IV. Paris: Berger-Levrault, 1983.

Vinciguerra, Lucien. *Archéologie de la perspective. Sur Piero della Francesca, Vinci et
Dürer*. Paris: Presses Universitaires de France, 2007.

메모리얼 공간에서 물의 의미와 형태에 관한 연구
- 다이애나 메모리얼과 911 메모리얼 비교를 중심으로 -

윤선영(인천가톨릭대학교)

Ⅰ. 서론
Ⅱ. 메모리얼 공간과 물
  1. 메모리얼 공간
  2. 물의 특성
  3. 메모리얼 공간에서의 물

Ⅲ. 다이애나 메모리얼과 911 메모리얼
  1. 다이애나 메모리얼
  2. 911 메모리얼
  3. 다이애나 메모리얼과 911 메모리얼
    의 물 비교
Ⅳ. 결론

Ⅰ. 서론

물은 인간 아니 지구 역사의 시작부터 함께 하여 왔다. 인간의 탄생 이전에 이미 물은 자연에 존재하였으며, 모든 생명체가 생명을 유지하기 위한 필수적인 요소이기도 하다. 이러한 이유로 종교적, 신화적, 과학적 차원 등 여러 분야에서 물에 의미를 부여해 왔다. 인간과 모든 생명체가 태어나게 된 기원이 물이라는 과학적 이론은 설득력이 크다. 태아도 어머니 뱃속 양수에서 숨 쉬고 자라기 때문에 물은 인간 생명의 근원으로 비유되곤 한다. 여러 기원신화에 따르면 세계는 무에서 '형성되어 형태를 띠고', 모든 살아있는 생명체는 창조적인 원시의 물에서 생겨났다[1]고 하였다.

가톨릭 교회에서 물은 많은 곳에 등장하며 의미도 다양하다. 구약성경에서는 창세기 1장 1절에서부터 물이 등장한다. '~ 땅은 아직 꼴을 갖추지 못하고 비어 있었는

---

1) 베로니카 스트랭, 물: 생명의 근원, 권력의 상징, 반니, 2015

데, 어둠이 심연을 덮고 하느님의 영이 그 물 위를 감돌고 있었다.'에서 보는 바와 같이 하느님이 창조하는 처음부터 물이 함께 하였음을 알 수 있다. 가톨릭 교회 용어사전을 보면 물은 정화의 의미가 있기에, 세례 성사 때 물을 사용하는 것은 죄를 씻어 거룩함을 되찾는다는 의미도 지닌다. 또한 영원한 생명이나 행복에 대한 갈증을 풀어주는 해갈의 의미도 있다. 그 외에도 성서에는 정결, 구원, 영생의 의미로도 사용되었다. 예를 들어 노아의 홍수, 요르단에서의 예수 세례, 베짜타 못가의 병자 치유 등이 바로 그것이다. [2]

본 연구에서 다루고자 하는 물은 죽은 이를 애도하는 공간에서의 물을 다루고자 하며, 이와 관련된 물을 성서에서 찾아보면 몇 가지로 구분할 수 있다.

"얘야, 죽은 사람을 위해 눈물을 흘리고 극심한 고통을 겪는 이처럼 애도를 시작하여라. 죽은 사람의 처지에 따라 그 시체를 염하고 그의 장례를 소홀히 치르지 마라. 슬피 울며 통곡하여라. 애도는 죽은 사람의 지위에 따라 하루나 이틀 동안 계속하여 비난받지 않도록 하여라. 그리고 나서 너 자신의 슬픔을 달래라."(집회서 38:16~17)

"아, 내 머리가 물이라면 내 눈이 눈물의 샘이라면 살해된 내 딸 내 백성을 생각하며 밤낮으로 울 수 있으련만!" (예레미야서 8:23)

"죽으면 당신을 생각할 수 없고 죽음의 나라에선 당신을 기릴 자 없사옵니다. 나는 울다가 지쳤습니다. 밤마다 침상을 눈물로 적시고 나의 잠자리는 눈물바다가 되었습니다." (시편 6:5-6)

이와 같이 죽음이나 애도와 관련된 물은 주로 눈물이며, '눈물이 시내처럼, 눈물을 쏟을 때, 눈물로 범벅이 된, 눈물을 흘리며, 눈물을 거두어, 눈물이 적실 때, 눈물에 젖어, 눈물이 비오듯, 눈물을 머금고, 눈물을 씻어, 눈물을 참아' 등과 같은 표현이 자주 등장한다. 이는 슬픔과 애통을 대변하는 의미로 사용된다.

"정녕 당신께는 생명의 샘이 있고 당신 빛으로 저희는 빛을 봅니다." (시편 36:10)

"너희는 기뻐하며 구원의 샘에서 물을 길으리라." (이사야 12:3)

"성령과 신부가 "오소서!" 하고 말씀하십니다. 이 말씀을 듣는 사람도 "오소서!" 하고 외치십시오. 목마른 사람도 오십시오. 생명의 물을 원하는 사람은 거저 마시십시

2) 가톨릭 용어사전 (http://term.catholic.or.kr 2018.8.25 확인)

오." (요한묵시록 22:17)

이처럼 죽음과 반대되는 생명이나 구원의 물이 주로 샘이라는 단어를 통해 사용된다. 이 외에도 사람과 동물이 마시는 물이 많이 나타나는데 이 역시 생명을 지속시키기 위한 기본적인 요소를 의미한다고 볼 수 있다.

"주 너희 하느님께서는 너희를 좋은 땅으로 데리고 가신다. 그곳은 물이 흐르는 시내와 샘이 있고, 골짜기와 산에서는 지하수가 솟아나오는 땅이다." (신명기 8:7)

"그 날이 오면, 산마다 포도즙이 흐르고 언덕마다 젖이 흥건하리라. 유다의 모든 시내에 물이 넘쳐 흐르고 야훼의 성전에서 샘물이 솟아 아카시아 골짜기를 적시리라." (요엘 4:18)

"주님께서 늘 너를 이끌어 주시고 메마른 곳에서도 네 넋을 흡족하게 하시며 네 뼈마디를 튼튼하게 하시리라. 그러면 너는 물이 풍부한 정원처럼, 물이 끊이지 않는 샘터처럼 되리라." (이사야 58:11)

또한 행복, 기쁨, 평화, 영생 등의 의미를 담는 물로서 끊이지 않고 흐르는 시내 또는 깨끗한 물이 솟아나는 샘으로 상징된다.

이와 같이 물이라는 단어는 생명에서 죽음까지, 기쁨에서 슬픔까지 담아내면서 다양하게 상징화되고 해석되는 이중성을 가진다. 본 연구는 가톨릭 교회뿐 아니라 일반적인 의미와 상징적인 차원에서의 물을 다루고자 하며, 메모리얼 공간에서 나타나는 물의 의미와 형태를 살펴봄으로써 추모 및 애도의 행위와 연관된 물에 초점을 맞추고자 한다.

Ⅱ. 메모리얼 공간과 물

1. 메모리얼 공간

1) 메모리얼 공간의 개념

메모리얼(Memorial)은 주로 역사의 비극적인 사건을 통해 숨진 이들을 건축물, 조형물 등의 시설을 통해 추도하는 장소를 가리키는 말이다. 메모리얼에서는 물리적인 표현방식보다 추도나 기념, 애도 등의 행위에 대한 의도와 기억의 의지를 드러냄이 중요하다.[3] 애도의 전제조건은 과거는 기억하되, 더이상 그것에 집착하지 않는 것이다. 소중한 그 상실을 인정해야만 비로소 다시금 자유롭고 장애 없이 새 생활을 시작할 수 있다는 것이다.[4] 메모리얼은 애도를 위한 장소를 만들어줌으로서 많은 사람에게 애도의 행위를 좀 더 적극적으로 표현할 수 있도록 도와준다. 메모리얼이라는 단어에서 드러나다시피 기억과 결부되어 과거에서부터 현재 그리고 미래에 이르는 기억을 간직하고 되새기며 이어갈 수 있는 공간이 필요한 것이다. 또한 메모리얼은 공동체적 추모의 과정에서 강요되는 기억과 사라져가는 기억의 상호작용 속에서 생성되는 '기억의 장소'라는 점에서 의의를 가진다.[5]

'메모리얼(Memorial)'은 사전적으로 '기념비'라고 번역되지만 일반적으로는 '기념관'이라는 공간적인 개념으로 사용되며, '모뉴먼트(Monument)가 '기념비'라는 사물을 지칭하는 개념으로 사용된다. 선행연구들에 의하면 메모리얼은 애도하는 성격이 강하며, 기억하는 행위에 중심을 둔 추상적 단어로서 활용된다.[6] 메모리얼을 중심으로하는 사회적 애도에는 사회를 단합하고 유지하고자 하는 목적을 배제할 수 없다. 그렇지만 단지 제도적 차원의 추모가 아닌 사회적인 의미를 지닌 애도를 위해서는 구성원 개개인의 공감과 성찰이 뒤따라야 할 것이다.[7]

2) 메모리얼 공간의 변화

과거에는 모뉴먼트라는 상징조형물이 주를 이루었지만 현대에는 메모리얼이라는 공간으로 변화되고 있다. 윤태건(2016)은 아서 단토(Arthur Danto)와 제임스 잉고 프리

---

3) 이현아, 다층적 기억: 재생의 패러다임과 메모리얼 건축의 변화양상, 서울대학교 석사논문, 2015, p8

4) 정진성, 기억과 전쟁, p32-33 (우지연, 회복력 있는 도시, 서울대학교 박사논문, 2013, p32에서 재인용)

5) 윤태건, 사회적 애도를 위한 메모리얼 연구, 홍익대학교 박사논문, 2016, p23

6) 문은미(2008), 한갑석(2003), 주학유(2013)의 선행연구(이현아, 다층적 기억: 재생의 패러다임과 메모리얼 건축의 변화양상, 서울대학교 석사논문, 2015, p9의 내용을 토대로 재구성)

7) 윤태건, 사회적 애도를 위한 메모리얼 연구, 홍익대학교 박사논문, 2016, p30

드(James Ingo Freed)의 말을 인용하며, 과거의 모뉴먼트는 승리나 기억할만한 인물에 대한 형상화라면 메모리얼은 희생자들에 대한 공간 성격이 강하지만 좀 더 다양한 의미를 포괄한다고 하였다.

과거의 모뉴먼트는 대부분 말을 탄 용사, 군복을 입은 군인, 용맹한 자세의 인물 조각상 또는 문이나 탑과 같은 거대한 덩어리의 건축물의 형상을 띠고 있었다. 이러한 관념을 깬 것은 마야 린(Maya Lin)의 베트남 참전용사 메모리얼(Vietnam Veterans memorial)이다. 1981년에 시행된 공모전에서 당시 대학에 다니고 있던 마야 린의 작품이 당선된 것은 한 장의 스케치였으며 이는 그대로 실현되었다.

마야 린은 희생자의 죽음을 애도하고 남은 자를 위로하는 것이 메모리얼의 취지가 되어야 하며, 국가와 민족을 초월하고 전쟁과의 직접적 관여 여부를 떠나 모든 방문객에게 반응할 수 있는 공간이 되어야 함을 주장하였다.[8] 이 곳에서는 이제껏 없었던 방문객의 행위가 가능해졌으며 벽에 입을 맞추고, 탁본을 뜨거나 이름을 만지는 등의 행위를 통해 적극적인 애도와 추모, 슬픔의 표현 등 다양한 의미를 담는 메모리얼 공간으로의 변화를 만들어냈다.

메모리얼에 대한 혁신적인 작품이 된 요인에는 방문객의 적극적이고 다양한 행위를 이끌어내었다는 점이 가장 크지만, 메모리얼의 형태가 대지에 자연스럽게 젖어들고 조경으로서 형태를 드러내지 않으면서도 공간에 머무를 때 의미를 되새길 수 있게 만들었다는 점도 있다.

걸어가면서 검은 벽이 점점 방문객의 키보다 높아지고 점점 나의 얼굴이 검은 벽에 비쳐지며, 그 위에 새겨진 전사자의 이름은 늘어나고 하늘도 점점 보이지 않는 땅 속으로 내려가는 느낌은 멀리서 푸르게만 보이던 잔디밭과는 다른 차원의 경험을 가능하게 한다.

베트남 참전용사 메모리얼로 인하여 이후의 메모리얼 공간은 그전까지와는 다른 방향으로 변화하기 시작하였으며 방문객과의 물리적, 감정적 인터렉션(Interaction) 경험을 중심으로 발전하게 되었다.

---

8) Maya Lin, Boundaries, Simon & Schuster, 2000, p4:09 (우지연, 공간디자인의 언어 〈회복력 있는 도시〉에서 재인용, 날마다, 2011, p160

(도 1) 베트남 참전용사 메모리얼 전경

2. 물의 특성

1) 물리적 특성

물의 물리적 특성을 요약하면 영원하며 일정함, 수평을 유지함, 유동적 등으로 요약할 수 있다.[9]

① 영원하며 일정하다.

물은 온도에 따라 기체, 액체, 고체의 상태로 변화하며 부피도 변한다. 고체는 얼음, 기체는 수증기로 변화하지만 동일한 물질로서 존재하며, 이 세 가지 모습 속에는 눈, 비, 안개, 구름 등의 모습으로 끊임없이 변화하며 순환한다. 형태가 사라지거나 변해도 결국은 어디서인가 존재하며 다시 나타난다. 물은 지구상에서 유일하게 자체 재생산이 가능한 자원이다. 증발한 물은 정화된 형태로 비가 되어 지구 전역에 내린다. 지구의 지속적인 물 순환 시스템 덕분에 자연적인 생태계가 회복되고 문명이 지속될 수 있다.[10]

---

9) 여러 연구자의 선행연구에 따르면 변형성, 유동성, 수평성, 음향성, 투영성, 하향성 등 다양하게 정리하고 있으며 본 연구에서는 유사한 내용을 재정리하여 이와 같이 표현하였다.
10) 스티븐 솔로몬, 물의 세계사, 민음사, 2010, p20

② 수평을 유지한다

물은 항상 자신의 수면을 찾기 위해 수평을 유지하는데 이를 수평성이라 한다. 높이의 척도로 사용하는 해발 및 미터의 개념도 물의 수평성을 이용한 것이며, 이러한 성질로 인하여 모든 현상의 기준이 된다. 도시나 건축의 공간에서 물은 절대적인 수평면을 형성하는 작용을 하며 공간에 기본적인 질서를 부여한다.[11]

③ 유동적이다

유동성이라 함은 흘러 움직이는 성질이다. 상황에 따라 변화할 수 있는 특성을 가지므로 장애물이 없으면 계속해서 흐를 수 있다. 물은 아래로 흐르는 성질을 가지므로 수평적인 공간에서는 그대로 있으나 조금이라도 기울어져 있으면 낮은 곳으로 흐르거나 떨어진다. 이러한 특성으로 인해 물리적 틀을 가지고 물이 흐르는 방향이나 속도를 조절할 수 있으며, 원하는 틀 안에 물을 가두면 그 형태를 유지할 수도 있다.

2) 감각적 특성
① 무색무취투명하다

물이 무색무취투명하다는 점은 모두 아는 성질이다. 이러한 성질로 인하여 모든 빛이나 색을 투과시킨다. 이를 투명성이라 할 수도 있고 반사성이라 할 수도 있다. 투명한 특성으로 인하여 모든 빛과 색을 투과시키지만 빛의 굴절과 반사 원리에 의하여 물이 반사성을 가지게 된다. 또한 무취하기 때문에 다른 물질이 들어오게 되면 그 물질의 냄새를 흡수하고 발산한다. 즉 향기나는 물질이 들어가면 향기나는 물이 되고 악취가 있는 물질이 들어가면 악취나는 물이 된다. 이러한 특성으로 인하여 물의 색과 향에 따라 인간의 시각적 후각적 감성이 변할 수 있다.

② 소리를 낸다

물이 정지되고 고여 있을 때에는 소리가 없지만, 물질과 부딪칠 때 소리가 생긴다. 물의 속도와 양에 따라 그 음향의 폭이 매우 다양해서 졸졸졸 흐르는 소리를 내

---

11) 유연옥, 도시공원의 수공간 디자인 연구, 이화여대 석사논문, 2011, p19

기도 하고 천둥과 같은 폭포 소리를 내기도 한다. 물과 물이 만나 파장이 생길 때에도 음향이 발생한다. 음향은 물 속에서도 전달이 된다. 물에서 발생되는 소리는 인간의 감성적인 부분에 영향을 많이 주어 시각적 효과를 극대화시킨다.

3. 메모리얼 공간에서의 물

1) 메모리얼 공간에서 물의 상징

메모리얼 공간에서는 기억을 돕고, 애도의 행위를 할 수 있도록 하는 장치들을 마련하고 상징적 의미를 담은 매개체들을 끌어들여 공간의 역할을 극대화시킨다.

우지연(2012)는 애도를 표현하는 상징적 공간매체를 빛, 불, 검은 돌, 흐르는 물, 반사연못, 이름 그리고 조경이라고 분류하였다. 이중 흐르는 물은 '눈물, 세월의 흐름, 생명, 부활'을 상징한다고 하였으며, 물은 애통하는 눈물이자 끊임없이 흐르는 역사의 흐름, 죽음, 슬픔, 부활과 삶의 고통스런 순환을 말해주기도 한다고 하였다.

이재준(2016)은 기억의 특성이 메모리얼 디자인에 적용한 사례를 통해, 자연환경의 유입, 빛, 반사성 등을 활용하여 고정된 의미로서가 아닌 시시각각 변화하는 새로운 의미를 계속해서 만들어 낼 수 있다고 하였다. 또한 반복성은 매스의 반복, 상황의 반복, 반사성 등을 통해 끊임없이 잊지 않아야 함을 강조하며, 감각은 체험을 만들고, 재구성은 관람객 스스로 자유롭게 생각하고 의미를 부여할 수 있는 계기를 만든다고 하였다.

서희정(2018)은 메모리얼의 연출요소를 벽, 조형물, '색채, 재질, 물, 빛, 텍스트, 길, 정원의 9가지 요소로 분류하였다. 이 중 물은 '생명, 인생, 시간, 죽음과 재생'을 상징하고, 위에서 흘러내리는 물은 눈물을, 거대한 폭포는 마음이 무너지는 거대한 슬픔을, 반사연못은 살아있는 자를 비추어 보게 하는 거울을 상징한다고 하였다.

이와 같이 메모리얼 공간에서 중요하게 여기는 애도, 추모 등과 같은 행위와 기억, 경험, 치유과 같은 상태를 유도하는 매개체는 다양하다. 그 중 물이라는 매개체는 눈물, 슬픔, 시간, 생명, 인생, 순환 등을 상징하며 물리적 특징으로 인하여 흐르는 물은 시간이나 눈물을, 정지된 물은 반사되는 반추를 의미하는 경우가 많음을 알 수 있다.

Ⅲ. 다이애나 메모리얼과 911 메모리얼

1. 분석대상 및 분석내용

메모리얼 공간에서 물의 의미와 형태에 관한 비교 대상은 다이애나 메모리얼과 911 메모리얼이다. 두 메모리얼은 모두 물이라는 요소를 주된 매체로 삼았으나 표현 방법이나 의미 부여에 있어서는 다른 성격을 지니고 있다. 대상 메모리얼에 관한 개요는 (표 1)과 같다.

(표 1) 분석대상 개요

	다이애나 메모리얼	911 메모리얼
위치	영국 런던시	미국 뉴욕시
건립연도	2004	2014
건축가	Kathryn Gustafson	Michael Arad Peter Walker
대상	다이애나 (Diana, Prince of Wales)	911 테러 희생자
특징	다이애나 삶의 투영	현장에서의 애도

본 연구의 분석내용은 역사적 사건과 관련된 장소성, 물의 의미, 물의 형태(표현) 그리고 방문객의 행태 등 네 가지 틀에서 비교하고자 한다. 메모리얼 공간의 출발점은 기억하고자 하는 대상이며 대상과 관련되어 대상지를 선택하는 것이 중요하다. 디자인에 있어서 기억할 대상을 어떻게 해석하느냐에 따라서 활용되는 요소와 표현 방법이 결정되는데 이는 내용과 형식이라고도 볼 수 있다. 또한 메모리얼 공간은 내용을 담는 그릇으로서 표현되고, 이 곳을 찾아오는 방문객의 행태가 결합되어야 비로소 메모리얼 공간이 완성될 수 있다.

2. 다이애나 메모리얼

1) 장소성

다이애나 메모리얼의 공식명칭은 웨일즈 공주 다이애나 메모리얼 분수(The Diana, Princess of Wales, Memorial Fountain)이다. 고 다이애나((Diana, Princess of Wales, 1961~1997)는 영국의 찰스 왕세자의 전왕세자비이며, 이혼 1년 후인 1997년 파리 시내의 지하차도에서 교통사고로 사망하였다. 당시 사고의 원인은 파파라치를 따돌리기 위한 운전사의 과속 때문으로 알려져 있다. 영국 왕실의 음모라는 설도 있으나 이는 확인되지 않았다. 한때 영국의 왕세자비였던 다이애나는 예기치 못한 사고로 타국의 길거리에서 세상을 뜨게 되었다. 다이애나는 결혼생활 내내 불행했던 것으로 알려져 있다. 이를 이겨내기 위하여 혹은 본인의 천성에 의하여 영국 및 세계 각지에서 다양한 봉사활동을 실천하였으며, 자녀의 교육법, 본인의 패션 감각, 대중에게 다가가는 자세 등 여러 요인들이 복합되어 왕세자비 시절부터 이혼 이후에까지 국민들의 사랑을 받아왔다. 다이애나의 죽음은 이혼 이후이기 때문에 영국 왕실의 의무는 없었으나 국민들의 끝없는 애도로 인하여 결국 왕실장으로 장례를 거행하게 되며, 그로부터 약 5년이 지난 후 메모리얼이 완성되었다.

다이애나 메모리얼 분수는 영국 런던 하이드 파크(Hyde Park) 내에 위치하고 있다. 하이드 파크는 4개의 왕립공원(켄싱턴 가든, 그린 파크, 제임스 파크, 하이드 파크)중 하나이며, 다이애나 메모리얼은 하이드 파크의 서펜틴 호수 남쪽에 자리하고 있다. 하이드 파크는 왕실 소유의 사적인 정원이지만 시민에게 개방한 대표적인 공원으로서 엄청난 규모(약 160만 ㎡)와 다양한 자연이 어우러져 런던 시민에게 사랑받는 장소이며, 다이애나의 기념 산책길도 이곳에 위치한다. 다이애나가 왕세자비 시절부터 소외된 이웃이나 대중들에게 다가가고 선의를 베풀었던 품성에서 디자인이 시작되었듯 하이드 파크라는 장소는 대중들이 언제나 다이애나를 가깝게 만나고 애도할 수 있는 곳이라는 이유에서 가장 적합한 장소로 선정되었다.

(도 2) 다이애나 메모리얼 전경
(사진출처:Gustafson-Porter+ Bowman 홈페이지)

2) 물의 의미와 형태

다이애나 메모리얼 분수의 형태는 고리 모양으로 원형에 가깝지만 부드럽고 자연스러운 형태를 지닌다. 분수는 대지에 가까운 높이로 잔디밭의 일부로서 인식되며, 물의 흐름도 매우 수평적이다. 분수는 밝은 회색의 화강암으로 이루어져 있고 지하수를 끌어올려 계속해서 순환된다. 끊임없이 흐르는 물은 다이애나의 죽음 이후에도 계속 이어지는 그녀에 대한 사랑과 슬픔을 동시에 연상시키며 인생이라는 여정에 대해서도 생각하게 한다.

다이애나 메모리얼은 Gustafson-Porter + Bowman의 캐더린 구스탑슨(Kathryn Gustafson)이 설계하였다. 분수의 디자인은 다이애나의 일생을 반영한다. 물은 가장 높은 지점에서 두 갈래로 떨어지며 거품을 내며 흐르기도 하고, 소용돌이치기도 하다가 가장 낮은 지점에 있는 고요한 못에서 만나게 된다. 또한 다이애나 메모리얼은 그녀의 품성과 개방적인 사고방식을 반영하였다.[12] 디자인 컨셉은 '다가가고-받아들임(Reaching out-letting in)'이며 모두가 사랑한 다이애나의 품성에서 비롯되었다. 분수

---

12) www.royalparks.org.uk/parks/hyde-park/

의 조각적 형태는 하이드 파크의 경사진 대지면과 통합되며, 에너지는 내뿜되 사람들은 끌어들이도록 설계되었다.[13) 분수의 형태는 고리 모양의 자연스러운 곡선이며 세 군데의 다리를 통해 대지와 연결된다. 고리 모양에서 부분별로 다양한 물의 형태

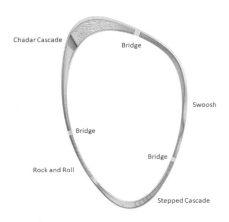

(도 3) 다이애나 메모리얼 분수 구성도
(사진출처:Gustafson-Porter+ Bowman 홈페이지)

(도 4) 다이애나 메모리얼 분수의 다양한 형태와 물의 흐름
(사진출처:Gustafson-Porter+ Bowman 홈페이지)

13) Gustafson-Porter+ Bowman 홈페이지(www.gp-b.com/diana-princess-of-wales-memorial)

와 흐름과 소리 등이 나타나는데 '챠다 케스케이드(Chadar Cascade)', '스워쉬(Swoosh)', '스텝드 케스케이드(Stepped Cascade)', '락큰롤(Rock and Roll)' 등의 네 부분으로 구성된다. 이 부분들은 재질과 색이 동일하지만 패턴과 고저의 변화로 물의 흐름을 바꾸고 소리에도 변화를 주어 파란만장했던 다이애나의 삶의 부분들을 대변한다. 물은 큰 소리는 아니지만 서로 다른 소리를 내며, 쉼 없이 흘러가는 물은 한 사람의 인생 그리고 모든 인생의 순환을 연상시킨다. 끊임없이 솟아나는 맑은 물은 찾아온 방문객들에게 기쁨을 주고 치유를 가능하게 한다.

4) 방문객의 행태

다이애나 메모리얼 분수를 방문하는 방문객들은 이곳이 다이애나를 위한 메모리얼 공간이라는 점을 알아차릴 수 없을지 모른다. 왜냐하면 이곳은 얼핏 보기에 물놀이터에 가까우며 남녀노소가 거리낌없이 물에 발을 담그고, 물장난을 치며 여가를 즐기는 유희의 공간이기 때문이다. 물의 깊이가 얕기 때문에 아이들도 쉽게 드나들 수 있으며 물 위를 걷거나 지나가는 행위도 자주 보여진다.

메모리얼 앞 작은 게시판에는 다이애나의 사진과 함께 주저하지 말고 주변에 앉아 손과 발을 담그고 물장난을 치라는 친절한 내용이 적혀 있다. 이 공간은 조용한 즐거움(Quiet Enjoyment)을 위한 공간이므로 공놀이나 자전거 등의 행위들은 다른 곳에서 해달라는 배려의 말도 함께 적혀 있다. 방문자들에게 베풀고자 하는 목적에서

(도 5) 다이애나 메모리얼 방문객의 모습
(사진출처:Gustafson-Porter+ Bowman 홈페이지)

조성한 공간이지만, 고인을 애도하고 기리는 공간이니만큼 최소한의 예의는 갖추자는 의미이다. 하지만 이곳에서 다이애나를 기리며 묵념을 하거나 애도를 하는 모습을 찾아보기는 쉽지 않다.

다이애나 메모리얼은 일반적인 메모리얼에서와는 전혀 다른 행태가 나타나는 곳이다. 대부분은 슬픔과 애도와 관련된 행위가 주가 되지만 이곳에서는 유희가 주가된다. 이러한 행위가 가능한 것은 하이드 파크라는 장소성에서 연유하기도 하지만 디자인 자체가 다이애나의 평소 행실이었던 남에게 베푸는 마음과 실천을 염두에 두고 진행되었기 때문이다.

3. 911 메모리얼

911 메모리얼의 공식명칭은 '국립 911 메모리얼 및 박물관(National Sep 11 Memorial and Museum)이며, 실외의 메모리얼 공간과 지하의 박물관 공간으로 구성된다. 이곳은 본래 세계무역센터(World Trade Center)인 두 개의 쌍둥이 빌딩이 있던 자리로 2001년 9월 11일 일어난 테러에 의하여 무너진 자리에 위치한다. 테러의 현장은 추모의 공간으로 기억되기 위하여 2003년에 911 메모리얼에 대한 공모전이 열렸고, 마이클 아라드(Michael Arad)의 작품 '부재의 반추(Reflecting Absence)'가 당선되었다. 2014년에 개장한 911 메모리얼은 현재 애도의 공간이자 관광지이며 성지와 같은 이미지를 동시에 가진 장소가 되었다.

1) 장소성

911 메모리얼이 자리한 위치는 911 테러로 무너진 국제무역센터(WTC) 그대로의 흔적이며, 911의 장소를 그라운드 제로(Ground Zero)라고 부르는 것 자체가 그 사건에 대한 특수한 의미를 함축하고 있다. 미국은 건국시기부터 기독교가 국가 정체성의 근간에 밀접하게 연결되어 있었다. '그라운드 제로 십자가(Ground Zero Cross)'로 불리는 철근 빔은 그라운드 제로에 성지로서의 분위기를 한층 더해주었다. [14]

14) 윤태건, 사회적 애도를 위한 메모리얼 연구, 홍익대학교 박사논문, 2016, p108

(도 6) 그라운드 제로 십자가 (사진출처 좌: Anne Bybee 우: https://catholic4lifeblog.wordpress.com)

에이미 캐플란(Amy Kaplan)은 그라운드 제로란 '세계무역센터에 가해진 테러공격, 물리적인 장소 그 자체, 그리고 말로 다할 수 없는 고통의 경험뿐 아니라 쌍둥이 빌딩, 사람들 그리고 매장해야 할 시체들의 부재를 의미하는 고도로 함축적이면서도 직접적인 명칭'이라고 하였다. [15] 수많은 희생자가 발생한 사건의 장소라고만 명명하기에는 이곳이 가지는 장소성은 너무나도 강렬하여 흔적의 보존 이외에 다양한 방문객의 목적에 맞는 무언가를 만들어야 했다. 현장에는 테러의 흔적이 너무나도 많이 남아있고 이를 최대한 살리기 위하여 지상에는 메모리얼 공간을 지하에는 박물관을 위치하게 하였다.

(도 7) 911 메모리얼 사이트 (사진출처: www.911memorial.org)

15) Amy Kaplan, Homeland Insecurities: Some Reflection on Language and Space, Radical History Review, Issue 86, Duke Univ. 2003, p82 (윤태건, 사회적 애도를 위한 메모리얼 연구, 홍익대학교 박사논문, 2016, p101에서 재인용)

2) 물의 의미와 형태

아라드는 작품의 의미를 "911 테러를 통해서 빼앗긴 가족과 사라진 그 빈 자리는 아무리 물을 채워도 채워지지 않는 빈 자리며, 이 기념관은 그 채워지지 않는 빈 자리를 보여준다"라고 설명하였다[16] 작품의 제목인 부재의 반추(Reflecting Absence)에서 말해주듯 이 작품은 빈 자리에 대한 의미, 목적이 있는 비어 있음을 나타낸다. 그는 작품을 구상할 때 허드슨 강가로 가서 물의 표면을 바라보며, 물 표면에 형성된 두 개의 공허(Void)를 상상하였다고 했다. 그리고 허드슨 강에서 상상한 공허를 세계무역센터 사이트 자체에 가져오고자 했으며, 아이디어는 비어 있음을 지우는 것이 아니라 그것에 존재감을 주기 위함이라고 하였다. [17]

911 메모리얼은 커다랗고 네모난 못의 모양을 하고 있으며 쌍둥이 빌딩의 빈 자리 그대로 두 개의 못이 만들어졌다. 네모난 형태는 빌딩의 모습에서 연유하였고 대지보다 아래로 파져 있기 때문에 위에서 내려다 볼 때 그 빈 자리가 더욱 공허해 보인다. 사각 형태의 사방에서 폭포처럼 떨어지는 물은 끊임없이 바닥으로 내려가 못에 고이는 듯하지만 못 중앙에 있는 빈 구멍으로 다시 흘러들어감으로서 보이지 않는 끝없는 곳으로 사라지는 듯이 느껴진다. 거대한 폭포는 매우 큰 소리를 내며 떨어지는데 본래 계획과는 변경되어 지어짐으로 인하여 소리가 주는 느낌은 다소 반감되었다. [18]

네모난 못을 형성하는 검은 돌은 메모리얼에서 종종 사용되는 요소로서 911 메모리얼처럼 거대한 매스를 형성했을 때에 더욱더 무겁고 장엄한 느낌이 나타난다. 이 안에 떨어지거나 고여있는 물들은 끊임없이 순환되지만 순환되어 보이기보다는 계

---

16) 유현준, 현대건축의 흐름, 미세움, 2009, p166

17) An Interview with Michael Arad (8, 20, 2013)
www.publicbooks.org/reflecting-absence-an-interviewwith-michael-arad/에서 발췌

18) 아라드의 본래 디자인은 램프를 따라 내려가면서 폭포의 소리를 더욱 크게 들리며 어둠 속으로 들어가 폭포르 바라볼 수 있는 것이었다. 그러나 다이엘 리베스킨트(Daniel Libeskind)가 그라운드 제로 마스터플랜 당선작이 되면서 슬러리 월(Slurry Wall)을 남겨 놓는 부분이 중요함에 따라 불가피하게 수정이 이루어졌다. 그러나 물을 통한 치유라는 점은 여전하다.

속해서 사라지는 모습이며 아라드가 초기에 의도했던 채울 수 없는 슬픔과 지속되는 빈 자리를 상징한다. 물은 하염없이 흘러내리는 눈물을 대변하며 더 이상 눈물조차 흘릴 수 없는 사람들의 슬픔이 되어 한결같이 울어주는 듯하다.

이렇게 무겁고 슬퍼보이기만 하는 이 형태 이면에는 아라드가 공공 공간에 대하여 의도하는 바가 있다. 그는 깊이 파인 이 공간이 도시와 단절될 것을 우려하였으며, 이를 방지하기 위해 주변의 거리와 보도 등의 환경과 연결시키도록 만들고자 하였다. 그는 워싱턴 광장이나 유니언 스퀘어와 같은 장소에서 사람들이 모임으로 인해 슬픔, 용기와 같은 감정에 대응할 수 있으며, 낯선 사람들 옆에 설 수 있다고 생각하였다. 이렇게 서로 옆에 서는 사람들 자체가 강력한 경험이며, 공공 공간은 일종의 공동체 의식을 형성할 수 있는 곳이라고 하였다. 그는 이 공간이 언젠가 피크닉이나 축제를 위한 공간이 될 수도 있는 회복력 있는 장소라고 생각하고 있다. 그래서 이곳의 가장 다르면서도 함께 사용한 개념이 빈 자리의 표시와 공공 공간의 창조인 것이라고 하였다.[19]

(도 8) 911 메모리얼 '부재의 반추' 모습 (사진출처 우: www.flickr.com)

19) An Interview with Michael Arad (8. 20. 2013)
   www.publicbooks.org/reflecting-absence-an-interviewwith-michael-arad/에서 발췌

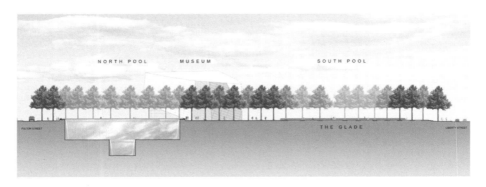

(도 9) 911 메모리얼 '부재의 반추의 단면 그림 (사진출처: www.911memorial.org)

3) 방문객의 행태

911 메모리얼에서 떨어지는 물을 그저 바라보기만 해도 가슴이 뭉클함을 느낄 수 있으며, 많은 방문객들이 그러한 행위를 한다. 그리고 그보다 더 자주 일어나는 행태는 희생자의 이름과 관계된 행위이다.

911 메모리얼 사각의 물 주변으로 마감된 검은색 돌에는 희생자의 이름이 새겨져 있다. 일반적으로 희생자의 명단이 알파벳 순서 혹은 사망한 날짜 순서 등으로 되어 있지만 이 곳에서는 가까운 관계를 중심으로 하되 특별한 규칙 없이 자리를 배치하였다. 검은 돌은 방문객 쪽으로 비스듬이 기울어져 있어서 방문객이 이름을 보기 위해서는 저절로 고개를 숙이고 추모의 자세를 취하게 된다. 이 곳에서는 베트남 참전용사 메모리얼과 마찬가지로 돌에 새겨진 이름에 입맞춤을 하거나, 손을 얹거나, 탁본을 뜨거나 바라보는 행위가 일어난다. 그러나 베트남 참전용사 메모리얼에서의 검은 돌은 벽처럼 수직으로 세워져 있어 꽃이나 국기 등이 바닥에 놓여진 것과 달리 911 메모리얼에서는 이름에 직접 꽃이나 국기를 꽂는 행위가 빈번하게 일어난다. 생일에는 희생자의 이름에 흰 장미를 꽂는 것이 관례가 되었다.

(도 10) 방문객의 다양한 행태들 (사진출처 좌:GettuImage 중앙:CNN.com 우:The Telegraph)

(도 11) 희생자 명단과 꽃 (사진출처 좌:www.911memorial.org 우:www.biography.com)

4. 다이애나 메모리얼과 911 메모리얼의 물 비교

다이애나 메모리얼과 911 메모리얼을 요소별로 비교하면 (표 2)와 같다.

먼저 장소성에서 다이애나 메모리얼은 대중과 가까이 했던 다이애나의 품성에 맞게 대중들이 많이 찾는 하이드 파크에 건립하여 소탈한 분위기와 친근감을 나타냈다. 911 메모리얼은 911 테러의 현장이자 무너진 빌딩이 있던 자리 그대로에 건립함으로써 사이트가 주는 강렬함을 간직하고 있다.

형태와 상징을 볼 때 다이애나 메모리얼은 원형에 가까운 고리 모양의 곡선이며, 다이애나의 일생을 상징한다. 911 메모리얼은 2개의 정사각형이며 테러로 사라진 빈자리와 슬픔을 나타낸다. 재료와 색상을 볼 때 다이애나 메모리얼은 회색의 화강암으로 밝은 분위기라면 911 메모리얼은 검은색 화강암으로 무겁고 장엄한 분위기를 연출한다. 물의 흐름을 볼 때 다이애나 메모리얼은 구간마다 약간씩의 변화가 있기는 하지만 졸졸 흐르거나 벽에 부딪쳐 거품을 내는 등 전반적으로 잔잔하며 수평적으로 흐르는 형태인 반면, 911 메모리얼은 큰 벽에 물이 폭포처럼 수직으로 떨어지며 천둥처럼 큰 소리를 낸다. 방문객의 행태에서는 다이애나 메모리얼에서는 주로 유희와 휴식의 행태가 대부분이지만 911 메모리얼은 애도와 추모의 행태가 대부분이다.

이처럼 두 메모리얼은 죽은 자를 기리는 메모리얼이라는 점과 물을 통해서 살아있는 자에게 치유를 하고자 하는 목적은 동일하지만 물의 표현과 활용면에 있어서는 매우 다른 양상을 보인다. 공통적인 면은 물이 끊임없이 순환하면서 영원하고 지속적인 물의 속성과 메모리얼의 의미를 연관시켰다는 점이다.

(표 2) 다이애나 메모리얼과 911 메모리얼의 물 비교

		다이애나 메모리얼	911 메모리얼
장소성		시민들의 휴식처인 하이드 파크	911 테러 현장이자 WTC 빌딩 부지의 흔적
물의 의미와 형태	형태	원형	사각형
	의미(상징)	다이애나의 일생	슬픔, 눈물, 빈 자리
	재료 · 색상	회색 화강암	검은 화강암
	물의 흐름	수평적으로 흐름	수직으로 떨어지는 폭포
	감각(소리)	잔잔한 소리	천둥처럼 큰 폭포소리
방문객의 행태		유희 · 휴식	애도 · 추모

IV. 결론

본 연구에서는 특정한 인물을 기리는 메모리얼 공간에 대하여 알아보았다. 메모리얼은 단순히 죽은 자를 기리는 공간이 아니라 살아있는 사람들의 행위로 애도하고 또는 휴식하며 치유하는 곳으로서 의미를 갖게 된다.

메모리얼 공간에서 애도를 위하여 사용되는 매개체에는 다양한 것들이 있으며, 그 중 물이라는 요소는 눈물, 슬픔, 시간, 생명, 인생, 순환 등을 상징한다. 물의 물리적 특징에 따라 흐르는 물은 시간이나 눈물을, 멈추어 반사되는 물은 반추를 의미하는 경우가 많음을 알 수 있다.

본 연구에서 비교의 대상으로 삼은 다이애나 메모리얼 분수와 911 메모리얼의 경우 모두 물이라는 매개체를 주된 요소로 삼아 메모리얼의 컨셉을 표현하고자 하였으며, 방문객의 치유를 돕도록 활용하였다. 두 공간에 대하여 장소성, 형태, 의미, 재료 및 색상, 물의 흐름, 물소리 그리고 방문객의 행태를 비교하였을 때 모든 면에서 상반된 표현을 하고 있음이 보여졌다. 그러나 물이 나타내는 인생, 세월의 흐름, 끝없는 순환 등의 의미는 공통적으로 나타나고 있다.

본 연구에서는 메모리얼 공간에서의 물의 다양한 형태와 의미를 찾고자 하였으며, 미비한 부분은 다른 메모리얼 공간에서의 물의 활용을 연구하며 보완하고자 한다.

주제어(Keyword)

물(Water), 메모리얼 공간(Memorial Space), 다이애나 메모리얼(Diana Memorial), 911 메모리얼(911 Memorial)

참고문헌

베로니카 스트랭, 물: 생명의 근원, 권력의 상징, 반니, 2015,

서희정, 메모리얼에서 집단기억 특성과 공간연출요소의 상관관계에 관한 연구, 홍익대학
      교 석사논문, 2018

스티븐 솔로몬, 물의 세계사, 민음사, 2010

우지연, 공간디자인의 언어 〈회복력 있는 도시〉, 날마다, 2011

우지연, 회복력 있는 도시, 서울대학교 박사논문, 2013

유연옥, 도시공원의 수공간 디자인 연구, 이화여대 석사논문, 2011

유현준, 현대건축의 흐름, 미세움, 2009

윤태건, 사회적 애도를 위한 메모리얼 연구, 홍익대학교 박사논문, 2016

이재준, 기억의 개념적 특성을 적용한 메모리얼 공간디자인, 건국대학교 석사논문, 2016

이현아, 다층적 기억: 재생의 패러다임과 메모리얼 건축의 변화양상, 서울대학교 석사논
      문, 2015

정진성, 기억과 전쟁, 비교역사문화연구소, 2009

Amy Kaplan, Homeland Insecurities: Some Reflection on Language and Space, Radical
      History Review, Issue 86, Duke Univ. 2003

Maya Lin, Boundaries, Simon & Schuster, 2000

www.gp-b.com/diana-princess-of-wales-memorial

www.publicbooks.org/reflecting-absence-an-interviewwith-michael-arad

www.royalparks.org.uk/parks/hyde-park/

http://term.catholic.or.kr

www.911memorial.org

건축의 용도별 수공간의 유형 및 특성 연구

이승지(인천가톨릭대학교)

Ⅰ. 서론
Ⅱ. 수공간의 구현 목적과 유형
   1. 수공간의 구현 목적
   2. 수공간의 영역적 유형
   3. 수공간의 연출기법에 따른 유형

Ⅲ. 건축의 용도별 수공간 설치 사례
   1. 종교건축
   2. 공공건축
   3. 공동주택
Ⅳ. 건축의 용도별 수공간의 유형 및 특성
Ⅴ. 결론

Ⅰ. 서론

물은 인간에게 있어 자연의 가장 본질적인 요소로 인식된다. 인간문명의 역사는 물과의 투쟁의 역사이며, 인간문명의 결정체인 도시는 인간의 생물학적인 삶을 유지하고 사회 유지에 필수적인 물을 얻을 수 있는 수변을 따라 발달했다. 도시 내에서도 물길을 따라 자리를 잡고 물을 중심으로 모여들었다. 인간의 사상의 흐름에도 물이 중요한 역할을 했다. 서양문명의 원류인 그리스, 로마 문화는 전형적인 해양문명 이었으며, 메소포타미아의 창조신화 또는 성경에서도 바다가 먼저 있었다고 한다. 따라서 물에 대한 경험, 감정 그리고 사고 등에 의해 그 이미지가 뇌리에 새겨지고 축적됨으로써 인간정서의 측면에서도 큰 의미를 부여하게 한다[1].

현대에는 건축공간에 있어 수공간의 도입이 증가하고 있다. 환경친화적 추세에

---

1) 이영호, 김행신, 「서구건축공간에서 물과 수공간의 의미에 관한 연구」, 『한국주거학회논문집』 제13권 제3호 (2002년 6월), 11.

따라 공간에 자연의 원초적 특성을 가진 물의 도입이 중요하게 고려되고 있고, 물은 인간의 시각, 청각, 촉각에 작용하여 공간을 매력적으로 변화시키고 있다. 박소람(2013)은 사람들이 물이 있는 공간에서 감정의 동요를 경험하고 특별한 공간감을 느낀다고 명시하고, 이를 물이 건축이라는 인간을 담은 구조물에 인간과 인공물을 이어주는 자연의 원형을 간직하고 있는 매개체가 된다는 점, 그리고 물리적 현실과 상징적 초현실을 이어주는 역할을 한다는 점, 무엇보다도 건축가의 심상을 통해 재현된 실재에서 사용자가 감각을 통해 얻는 심상이 원래의 것과 간극이 작다는 점에 기인하는 것으로 해석하였다[2].

수공간은 물을 주요 구성요소로 하는 공간 또는 물을 중심으로 한 그 영향 내의 공간으로 정의된다. 물이 가진 다양한 이미지와 다양한 표현성은 공간에서 활력소가 되고 상징의 대상이 된다. 물은 건축물과 다양하게 공존하면서 건축물의 정체성을 확립시켜 줄뿐 아니라, 물이 가진 여러 특성들을 건축의 공간 환경, 형태, 성격과 조화시켜 인간과 유기적인 관계를 형성하고 있다[3]. 이 연구에서는 수공간의 다양한 유형과 그 감각적 특성을 이론적으로 고찰하고 건축물의 용도별로 수공간이 설치된 사례들을 취합하고 분석하여 수공간의 유형과 그 유형에 따른 특성을 분석하고자 한다. 이를 통하여 수공간이 설치되는 건축의 속성에 따른 차별성을 탐구한다.

연구의 내용과 방법은 다음과 같다. 2장에서는 선행연구의 고찰을 통하여 수공간의 구현 목적과 다양한 유형에 대한 이론적 배경을 구축한다. 3장에서는 건축의 용도별로 수공간을 분석한 선행연구들에서 제시된 사례들의 영역적 유형 및 연출기법의 유형을 재구성한다. 4장에서는 건축의 용도별로 수공간의 유형과 그 유형에 따른 특성을 분석한다. 마지막으로 결론에서 내용을 요약 정리하여 제시한다.

---

2) 박소람, 김광현, 「물(水)이 건축재료와 만나 감성을 자극하는 매개로 작용하는 현상적 특성 연구」,『대한건축학회 학술발표대회 논문집』제33권 제1호 (2013년 4월), 163.

3) 손광호, 김강섭, 「지역 공공건축 수공간의 해석과 디자인 방안에 관한 연구」,『대한건축학회 논문집』제24권 제12호 (2008년 12월), 19.

II. 수공간의 구현 목적과 유형

1. 수공간의 구현 목적

1) 기능적 요인

물의 물리적 성질을 이용하여 공간을 이용하는 사람들의 체험을 조작할 수 있으며, 또 한편으로는 환경설비적인 목적에서 사용함으로써 기능적으로 활용된다. 수공간의 기능적 요인들은 〈표1〉과 같다[4)5)].

〈표 1〉 수공간의 기능적 요인

기능	내용
차단 및 보호	특정 공간의 경계에 수공간을 설치하여 공간의 분리를 강조함으로써 차단과 보호 기능
레크리에이션	수영, 낚시, 보트 타기, 물놀이, 온천 등
동선 조절	사람들이 움직이는 동선 패턴을 지시하거나 방해하거나, 또는 공간을 통하여 질서 정연한 진행을 촉진하는 데 활용
습도조절	물은 외기에 접하는 순간 주변 온도와 습도의 차이 변화에 의해 그 형태와 관계없이 증발을 시작하며 주변 습도 조절
냉방효과	물은 주위의 많은 양의 열을 흡수해 형태에 관계없이 주위의 온도를 하강시키는 증발냉각 효과. 도시 차원에서의 열섬(Heat Island) 효과 저감
조명효과	물은 표면에서 빛을 반사시켜 거울과 같은 효과를 가지며 물 표면 밖의 대상이 물의 표면에 투영됨. 그 대상이 조명으로서의 효과를 가질 때 물 표면은 조명의 다양한 효과 연출
실용	소방 또는 관개 저장고로서 용수공급을 위한 예비 저수조의 역할

---

4) 다음의 참고문헌들을 참고하여 재정리함: Charles W. Harris and Nicholas T. Dines, Time-Saver Standards for Landscape Architecture (McGraw-Hill Education, 1997), 530-2; 손광호, 김강섭, 「지역 공공건축 수공간의 해석과 디자인 방안에 관한 연구」, 『대한건축학회 논문집』 제24권 제12호 (2008년 12월), 20; 허진설, 김문덕, 「현대식음공간의 수공간 연출기법에 관한 연구」, 『한국실내디자인학회 학술대회논문집』 제11권 제2호 (2009년 10월), 103.

5) 물의 기능적 요인으로 백색소음의 기능적 역할에 주목한 '청각적 효과'를 포함시키기도 함. 수공간의 구현 목적을 기능적 요인과 심미적 요인으로 구분하는 것은 단지 내용을 구조화해서 파악하기 위한 것으로 큰 의미가 없으며, 이 연구에서는 심미적 요인에 포함하여 정리함.

2) 심미적 요인

공간에 물을 도입하여 구현하는 것은 의도된 목적을 가진다. 디자이너는 일반적으로 시각적 요소로서 물을 설치하지만, 심미적 요인으로서 물은 시각적 측면을 훨씬 넘어선다. 시각이 우리의 가장 중요한 감각이라는 것은 생리학적, 지각적, 심리학적으로 충분한 근거를 가지고 있지만, 공간 내 도입된 물은 인체의 총체적인 감각을 자극하고 상호작용하면서 복합적인 감성을 발생시킨다.

시각

신체 기관 중 가장 많은 정보를 받아들이는 기관은 눈이다. 인간이 인식하는 정보 가운데 대부분은 눈을 통해 획득되고 그런 만큼 시각적 효과는 대단하다. '아름답다'거나 '추하다'고 하는 말은 시각 자체의 표현이다[6]. 물을 공간 내에서 시각적으로 구현하는 다양한 디자인적 방법에 의하여 공간의 성격이 규정될 수 있다. 공간 내에서 초점을 형성하여 공간을 통합시키고, 연속성의 느낌을 창출하여 공간을 확장하거나 방향성을 제시한다. 수평면의 풀(pool)에 의하여 침착하게 고여 있는 평정수는 침착하고 고요한 감각을 유발하며, 빠르게 움직이거나 강렬한 수직적인 구현은 흥분과 극적인 감각을 자극한다.

청각

청각적 요소는 기타의 감각과 맞물려 보다 풍부한 기억과 느낌을 가지게 한다. 소리의 크기는 사람의 신경을 자극하는 다양한 범위가 존재하며, 때로는 불안정한 감정을 나타내는 소리가 되기도 하고 때로는 따뜻하고 편안함을 느끼는 소리가 되기도 한다[7]. 높낮이, 리듬감, 톤의 변화 등을 가지고 있는 물 소리는 음악적 성질을 가지고 있다. 물의 구현에 의해 생성되는 소리의 강도와 빈도는 침착함 또는 흥분 등의 감각을 전달하는 데 효과적으로 활용된다. 자연의 요소 중 소리를 만들어 낼 수 있는 대표적인 요소는 물로서, 불쾌하거나 산만한 주변 소음을 차단하고 백색소음의 기능을 한다. 자연의 백색소음(white noise)은 일상적인 소리이며 우리가 우주의 한 구성원으로서 주

---

6) 홍성용, 『스페이스 마케팅』 (삼성경제연구소, 2007), 162.
7) 전게서, 166.

변 환경에 둘러 싸여 있는 보호감을 느끼게 됨으로써 심신을 안정시키고 수면을 촉진하는 치유효과와 업무의 효율성을 증대시키는 등의 기능적인 효과가 입증되었다.

촉각

촉각 정보는 직접적 신경을 통해서 강하게 인식되는데 특히 피부를 통해 느껴지는 촉감은 여러 가지 감정과 기억을 발생시킨다[8]. 유하니 팔라스마(Juhani Pallasmaa)[9]는 피부는 우리의 기관 중에서 가장 오래되고 기장 민감한 것으로 소통을 위한 최초의 매개체로서, 시각, 청각, 후각, 미각의 모체로 설명한다. 시각적 지각조차도 촉감으로 구성된 자아의 연속체 속으로 녹아 들어가 통합된다. 즉 촉각을 통해 우리가 진즉에 알고 있던 것을 시각을 통해 인식하는 것이라고 볼 수 있다[10]. 물은 생리학적으로 인간에게 가장 친숙한 존재이므로 본능적으로 물과 친숙하다. 그러므로 사람은 물리적으로 물과의 접촉을 하고 싶어 하는 경향이 있다. 물은 직접 접촉해서 만져보는 것 외에도 물보라, 물방울, 대기 중 습기 등을 통하여 촉각을 자극한다. 물의 유동성이 만드는 물리적 양태를 활용하여 신체적인 상호작용을 경험하도록 함으로써 사람과 물의 교감을 유도한다.

2. 수공간의 영역적 유형

수공간의 영역과 건축이 유기적으로 조화를 이룬 공간적 배열을 가질 때 그 공간에서의 물은 인간에서 호소력을 지니며 여러 가지 감흥을 유발한다. 건축에서 수공간이 점유하는 영역에 따른 유형 구분과 건축적 특성은 〈표 2〉와 같다[11].

---

8) 전게서, 164.

9) Juhani Pallasmaa, 『건축과 감각』, 김훈 옮김 (spacetime, 2013), 15.

10) 박소람, 김광현, 「물(水)이 건축재료와 만나 감성을 자극하는 매개로 작용하는 현상적 특성 연구」, 『대한건축학회 학술발표대회 논문집』 제33권 제1호 (2013년 4월), 163.

11) 김효진, 박한규, 「시지각적인 측면에서 본 수공간의 형태에 의한 건축공간의 변화에 관한 연구 (안도 다다오의 작품을 중심으로)」, 『대한건축학회 학술발표대회 논문집』 제21권 제2호 (2001년 10월), 587. 분류와 형태는 해당 논문의 기준을 준용하였으나, 각 유형별 공간의 특성은 관련 문헌을 참고하여 재정리함.

분류	형태	특성
내부		건물 공간 내부의 물은 공간의 확장과 분리 등의 역할을 하며 시지각적인 응집성과 시점의 이동을 유도
중첩		건물 공간의 내부와 외부에 걸쳐 있는 물은 두 공간을 연결하며 상호 유기적인 관계 형성
외부		건물 공간 외부에 독립적으로 존재하는 물은 물 자체의 상징성 강조
에워쌈		건물 공간 외부를 에워싸는 물은 건물와 외부 공간을 분리시키고, 건물의 오브제적 특성 부각

3. 수공간의 연출기법에 따른 유형

수공간의 유형은 물의 연출에 따른 형태에 의하여 구분될 수 있으며, 각 유형별로 차별화된 디자인을 통하여 다양한 효과를 만들어낼 수 있다. 수공간의 유형과 효과, 그리고 각 효과별 시각, 청각, 촉각의 감각적 수준을 정리하면 〈표3〉과 같다[12)13)].

---

12) Charles W. Harris and Nicholas T. Dines, Time-Saver Standards for Landscape Architecture (McGraw-Hill Education, 1997), 530-2 - 530-6.
13) 전개서에서 물의 연출로 인한 각 효과별 특성으로 시각, 청각과 함께 물방울(splash)에 대한 수준을 명시하였다. 연구에서는 이를 촉각으로 해석하고 시각, 청각과 함께 감각적 수준으로 정리하였다. 사람의 촉각을 통한 수공간의 체험은 직접적인 접촉에서부터 대기 중 습기에 이르기까지 매우 광범위한데 직접적인 접촉은 특정 행위를 유발해야 하는 다른 차원의 논의로 발전되는 것을 제한하기 위하여 물의 연출을 통하여 발생하는 물방울을 촉각으로 해석하였다.

1) 정적-담수

정적 수공간은 정지되어 있는 물로 담수 또는 고인물로 표현된다. 파동의 여부에 따라 유형을 구분할 수 있으며, 수중 표면의 마무리가 효과에 영향을 미친다. 파동이 없는 담수는 평정수로서 반사판과 같이 작용하여 건축물과 같은 물체를 투영하고 무늬가 있는 마감재를 적용하면 창문의 효과를 가진다. 파동이 있는 담수는 질감을 가지며 무늬가 있는 마감재에 새로운 변화를 주는 활성체의 효과를 가진다. 수조의 형태, 수면의 형태, 소재, 수면적, 깊이, 청정도 등을 통하여 다양한 디자인이 가능하다. 담수는 시각적인 가시성 외 청각과 촉각의 효과는 없거나 매우 미미한 수준이다.

2) 동적-낙수

동적 수공간은 다양한 움직임이 있는 물로 움직임의 형태에 따라 세분화된다. 첫 번째로 낙수는 중력의 영향으로 어떤 표면에도 접촉하지 않고 수직으로 낙하하는 물을 의미한다. 전체 면이 낙하하거나, 낙하지점의 분절을 통하여 다수의 분절 면을 형성할 수 있으며, 낙수구를 통하여 또 다른 효과의 연출이 가능하다. 유속을 감소시키면 비 오는 것과 같이 부서지는 면의 효과를 가진다. 낙차, 유량, 유속, 물줄기수, 낙수구, 배경재료, 낙수가 모이는 웅덩이의 형태 등을 통하여 다양한 디자인이 가능하다. 낙수는 시각, 청각, 촉각 측면 모두에서 보통 이상의 수준으로 체험된다.

3) 동적-유수

유수는 표면에 접촉하지 않고 흐르는 낙수와 다르게 지속적으로 수조와 접촉하며 흐르는 물을 의미한다. 수직 방향으로의 흐름은 벽천을 형성한다. 매끄러운 평면 또는 마감이 부드러운 벽천은 움직이는 물을 약간 강조할 뿐이지만, 질감이 있는 면의 경우 공기가 유입되면서 거친 벽천의 효과를 만들어 낸다. 수평 방향으로의 흐름은 개울을 형성한다. 균일한 폭을 가지는 평평한 수조는 평정수 수준의 고요한 개울의 효과를 가지며, 수조의 형태를 조작하고 유속을 증가시킴으로써 격동적인 개울의 효과를 창출할 수 있다. 유수는 유속, 유량, 수조폭, 수조깊이, 경사 등을 통하여 다양한 디자인이 가능하다. 유수는 유형과 효과에 따라 다양한 수준의 감각을 체험할 수 있다.

4) 동적-캐스케이드

캐스케이드는 낙수와 유수의 조합이다. 캐스케이드 벽천은 유수의 부드럽거나 질감 있는 벽천과는 달리 일정한 볼륨을 가지고 돌출된 형태로 구성된 텍스쳐 위로 물이 측면을 가로지르거나 돌출되는 등의 자유로운 낙하의 효과를 가진다. 계단식의 캐스케이드는 단차를 가지는 구조 위로 물이 흐르는 것으로, 단차를 형성하는 구조체는 자연석의 무작위한 배열에서부터 정밀하고 기하학적이고 조각적인 요소에 이르기까지 다양하다. 일반적인 계단의 형태를 가지는 캐스케이드(stepped-plan)는 돌출된 형태에 의해 물보라가 생기는 형태(stepped-form)와 계단의 크기가 커져서 조금 더 깨끗하게 흐르는 형태(stepped-pool)로 효과를 변형시킬 수 있다. 캐스케이드 역시 유수와 동일한 구성요소들의 디자인을 통하여 다양성을 추구한다. 캐스케이드는 시각적인 가시성이 매우 좋으며, 유수와 동일하게 유형과 효과에 따라 다양한 수준의 감각을 체험할 수 있다.

5) 동적-분수

분수는 외부에서 압력을 가함으로써 분출구 또는 노즐을 통해 물이 분사된 후 일정한 형태를 가지고 물이 떨어진다. 명확한 기둥 형태의 효과는 주변으로 떨어지는 것 없이 직선형의 명확하고 수직적인 분수이다. 기포가 포함된 매스(aerated mass)는 분수 물줄기와 수조의 물, 공기를 결합시켜 강하고, 격동적이고, 하얗게 부서지는 분수를 형성한다. 이 효과는 반구형, 원뿔형 또는 원추형 세가지 형태가 일반적이다. 스프레이는 물방울을 활용하여 양식이 도출된다. 확산되는 폭포수(sheet) 효과는 매우 세밀한 분출구를 통하여 버섯, 나팔꽃, 민들레와 같은 형태의 효과를 도출한다. 분수는 분사기형태, 수조형태, 수량 등을 통하여 다양한 디자인이 가능하다. 분수는 감각적 수준 측면에서 높이가 높은 효과들과 높이가 낮은 효과들이 차이가 있다. 높이가 높은 명확한 기둥과 기포 매스 효과는 모든 감각적인 수준이 좋은 반면, 낮은 스프레이와 확산되는 폭포수는 청각 및 촉각 측면에서 미미한 수준이다.

<표 3> 수공간의 연출기법에 따른 유형

분류	유형	효과 (감각적 수준)		
		시각(가시성)	청각(소리)	촉각(물방울)

정적

파동이 없는 담수(pool)

A투영(Reflector) — 좋음 / 없음 / 없음
B창(Window) — 좋지않음 / 없음 / 없음

파동이 있는 담수(pool)

A질감(Texture) — 좋음 / 매우작음 / 없음
B활성체(Activator) — 좋지않음 / 매우작음 / 없음

동적

낙수

A전체(Full)면 — 좋음 / 작음름 / 보통상당
B분질(Interrupted)면 — 좋음 / 보통 / 상당
C낙수구 — 좋음 / 보통 / 상당
D부서지는(Broken)면 — 좋지않음 / 작음 / 보통

유수

A부드러운 벽천 — 좋지않음 / 작음 / 없음
B질감 있는 벽천 — 매우좋음 / 보통 / 보통
C고요한 흐름 — 좋지않음 / 매우작음 / 없음
D격동적 흐름 — 좋음 / 작음 / 매우조금

캐스케이드

A캐스케이드 벽천(Cascading waterwall) — 좋음 / 보통 / 상당
B계단-돌출형태(Stepped-form) — 매우좋음 / 보통 / 보통
C계단-면(Stepped-plane) — 매우좋음 / 보통 / 보통
D계단-풀(Stepped-pool) — 좋음 / 보통 / 보통

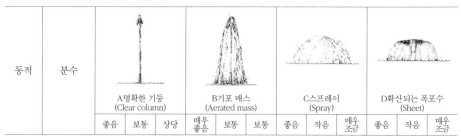

동적	분수	A명확한 기둥 (Clear column)			B기포 매스 (Aerated mass)			C스프레이 (Spray)			D확산되는 폭포수 (Sheet)		
		좋음	보통	상당	매우 좋음	보통	보통	좋음	작음	매우 조금	좋음	작음	매우 조금

* 파동이 움직임이 매우 격할 경우 물방울이 튀는 것을 촉각적으로 감지 가능
** 유동률과 높이의 증가에 따라 변화

Ⅲ. 건축의 용도별 수공간 설치 사례

  사람들의 행동의 장으로서 지각되어 쓰이는 건축 공간은 그 이용 목적에 따라 용도
가 구분된다. 시간을 초월한 공간을 추구하는 종교건축, 불특정 다수를 위하여 보편성
을 추구하는 공공건축, 그리고 사람의 신체적 · 정신적 욕구를 해소해주는 주거 중 공
동주택을 대상으로 조성된 수공간의 유형을 정리하여 제시한다. 이 연구는 각 건축 용
도별로 수공간을 분석한 선행연구에서 제시된 사례들의 대표성을 수용하고, 해당 사
례들에 대하여 이 연구의 관심 주제인 영역과 연출기법의 유형별로 재정리하였다.

  수공간의 유형은 상호보완적인 입장을 가진다. 예를 들어 분수는 솟아오른 물을
받아주는 담수공간이 있기 마련이며, 담수는 일시적으로 분수를 가동하여 역동적인
분위기를 조성하기도 한다. 이 연구에서는 해당 수공간의 주 효과에 초점을 맞추어
서 분류하였다.

1. 종교건축

  종교건축은 신앙생활을 위한 공간으로서의 일반적 의미뿐 아니라, 해당 종교의
사상과 교리를 직 · 간접적으로 표현하고 물리적으로 보여줌으로써 종교의 정체성을
확립하는 역할을 가진다[14]. 세계적 종교는 건조한 기후지역에서 설립되어 자연스럽

---

14) 임석재, 『사회미학으로 읽는 서울건축』, (이화여자대학교출판부, 2011), 295-296.

게 자연의 종교적 중요성이 물의 요소와 밀접한 관계를 맺어왔다. 가톨릭과 정교에서는 신성한 봉헌의식에서 물이 중요한 역할을 하였으며, 기독교에서는 물을 떨어뜨리거나 붓는 것을 통해 침례의식을 숙련했다. 이슬람에서는 규칙적인 세정식의 형태로 또는 사원에 입장하기 전에 씻는 것으로, 힌두교에서는 갠지스 강의 목욕에 신념을 두고 있다[15]. 즉 예부터 물은 종교의식의 도구로 이용되어 종교건축에서 물은 중요한 의미를 가진다. 물의 존재 자체가 상징성을 가지며, 이를 물리적으로 한정하는 형태 및 유형을 통하여 그 상징적 의미를 복합화시키고 배가시킨다. 손광호(2005)[16]의 연구에서 조사 분석된 종교건축의 수공간 유형을 정리하면 〈표 4〉와 같다.

〈표 4〉 종교건축의 수공간

건축물	영역적 유형	연출기법 유형			특성
		분류	유형	효과	
MIT채플	건물을 에워쌈	정적	담수 (파동×)	투영	반사장치에 의해 외부의 수공간을 내부에서 느낄 수 있음
가든 그로브 커뮤니티 교회	외부(1)	정적	담수 (파동×)	투영	공간을 투영하며 정적인 효과를 표현함과 동시에, 특정 시간대에 분수를 가동하여 역동적인 분위기 형성
	외부(2)	정적	담수 (파동×)	투영	
	내부	동적	분수	명확한 기둥	
성 피터 교회	외부	동적	캐스케이드	계단 -돌출형태	외부의 캐스케이드는 상당한 소리를 내며 백색소음에 대응. 내부의 캐스케이드는 세례반의 용도로 조용히 흐름
	내부	동적	캐스케이드	계단 -면	
물의 교회	건물과 중첩	동적	유수	고요한 흐름	바람의 영향을 받아 미풍에도 잔잔한 물결을 일으키도록 주의 깊게 설계
물의 절	외부	정적	담수 (파동×)	투영	건물의 공간을 수공간 아래 둠으로써 심연의 고독과 정막이라는 수면 아래 공간의 심리적 효과
성 이그나 티우스 채플	외부	정적	담수 (파동×)	투영	건물, 종탑, 그리고 빛의 투영을 활용하여 강한 장소성 형성

15) Axel Lohrer, 『수공간 디자인의 기초』, 반상철 옮김 (spacetime, 2012), 31-32.

16) 손광호, 김강섭, 「종교건축 수공간의 현상학적 특성과 의미에 관한 연구」, 『한국실내디자인학회논문집』 제14권 제6호 (2005년 12월).

2. 공공건축

공공건축은 국가와 지방자치단체 등 공공기관의 소유를 기반으로 하는 협의의 정의에서부터 공익성과 공유성 등을 포함하는 공공성의 실현을 위한 건축을 모두 포괄하는 광의의 정의까지 확장된다. 정의의 범위와 관계없이 공공건축은 우리의 삶 속에 많은 부분을 차지하고 있는 공간으로서 시민의 일상생활을 떠받치는 공공서비스 기능을 충족해야 한다. 이렇듯 공공건축이 지역에 개발되고 친근한 장소로 자리매김할 수 있도록 수공간의 도입이 증가하고 있다. 손광호(2008)[17]의 연구에서 조사 분석된 공공건축의 수공간 유형을 정리하면 〈표 5〉와 같다[18].

〈표 5〉 공공건축의 수공간

건축물	영역적 유형	연출기법 유형			특성
		분류	유형	효과	
전남도청사	외부(1)	정적	담수 (파동×)	투영	각각 직사각형과 자연스러운 연못 형태로 조성되어 차별화된 역할
	외부(2)	정적	담수 (파동×)	투영	
포항시청사	외부(1)	정적	담수 (파동×)	투영	다수의 수공간의 형태와 특성이 모두 다르게 조성
	외부(2)	동적	낙수	낙수구	
	외부(3)	정적	담수 (파동×)	투영	
	내부(1)	동적	캐스케이드	계단-풀	
	내부(2)	동적	분수	확산되는 폭포수	
사천시청사	외부	정적	담수 (파동×)	투영	공간 구획 및 진입성 강조
김천시청사	외부	동적	캐스 케이드	계단-풀	대지의 경사극복과 시각적 축의 설정을 통한 공간의 위계성 부여
달성군청사	외부(1)	동적	캐스 케이드	계단-풀	뚜렷한 차이를 보이는 대조적인 수공간 조성
	외부(2)	동적	캐스 케이드	캐스케이드 벽천	

17) 손광호, 김강섭, 「지역 공공건축 수공간의 해석과 디자인 방안에 관한 연구」, 『대한건축학회 논문집』 제24권 제12호 (2008년 12월).

18) 제시된 사례 중 광주시청사의 수공간은 현재 철거되어 분석대상에서 제외하였다.

안성면민의 집	외부	동적	분수	확산되는 폭포수	정적인 외부공간에 활력있는 분수 조성
메구로시청사	외부	정적	담수 (파동×)	투영	조용하고 평온하게 조망하는 수공간 형성
	내부	정적	담수 (파동×)	투영	
카고시마현청사	내부	동적	캐스케이드	계단-면	계단과 연계하여 수직적으로 가로지르며 형성

3. 공동주택

인구밀도가 높고 토지가 부족한 우리나라에서 좁은 국토를 최대한 활용하고 빠르게 성장하는 주택 수요에 대응할 수 있는 주택으로서 도입된 아파트는 현재 우리나라의 대표적인 주거유형이 되었다. 하지만 물량 위주의 아파트 공급은 우리의 주거환경을 획일적이고 무미건조하게 만들었다는 비판에 직면하였다. 이후 경제성장 및 거주자의 의식수준 향상 등으로 주거공간의 범위가 아파트 단지 내 공용공간으로 확장되었다. 이에 따라 아파트 단지의 공용공간 디자인은 단지의 차별화 방안으로 전략적으로 활용되면서 녹지공간의 개선 및 확대, 주민 교류 시설의 확보, 친수공간 등이 도입되고 있다. 특히 친수공간은 아파트 단지의 질을 높임과 동시에 아이덴티티를 부여하는 요소로서 적극 활용되고 있다.

특히 공동주택 단지 내의 친수공간은 생태연못, 실개천, 분수, 폭포, 벽천 등 다양한 형태의 수공간이 도입되었고 이와 더불어 파고라, 놀이시설, 녹지시설 등과 연계되어 공동주택 단지의 질을 높임과 동시에 단지별로 차별화된 아이덴티티를 부여하고 있다. 최유리(2009)[19]의 연구에서 조사 분석된 공동주택의 수공간 유형을 정리하면 〈표 6〉과 같다.

---

19) 최유리, 황연숙, 이송현, 「공동주택의 친수공간에 나타난 디자인 특성에 관한 연구」, 『한국생태환경건축학회 학술발표대회 논문집』 통권16호 (2009년 5월).

건축물	영역적 유형	연출기법 유형			특성
		분류	유형	효과	
A아파트	외부	동적	유수	격동적 흐름	경사지형을 활용한 실개천 및 자연형 연못과 연계
B아파트	외부	동적	분수	기포 매스	조형물 조합형 분수
C아파트	외부	동적	낙수	낙수구	소규모 인공폭포
D아파트	외부	동적	분수	기포 매스	조형물 조합형 분수
E아파트	외부(1)	정적	담수 (파동×)	투영	생태학습원과 연계한 생태형 연못
	외부(2)	동적	분수	명확한 기둥	연못형 분수
	외부(3)	동적	유수	부드러운 벽천	부드러운 벽천
F아파트	외부(1)	동적	유수	질감 있는 벽천	생태연못, 폭포형벽천
	외부(2)	정적	담수 (파동×)	투영	생태연못
G아파트	외부	동적	유수	고요한 흐름	기하학적인 선과 면의 인공형 연못 및 실개천
H아파트	외부(1)	정적	담수 (파동×)	투영	생태학습원과 연계한 생태형 연못
	외부(2)	동적	분수	명확한 기둥	에 설치된 분수

IV. 건축의 용도별 수공간의 유형 및 특성

건축의 환경과 공간, 형태, 그리고 성격과 유기적인 관계를 가지며 조성되는 수공간이 건축의 용도별로 나타나는 차이점을 분석하고자 한다. 종교건축, 공공건축, 공동주택을 대상으로 건축물의 용도별로 조성된 수공간의 특징을 파악하기 위하여 영역적 유형과 연출기법의 유형을 각 분석하였다.

1. 수공간의 영역적 유형에 따른 특성

건축에서 수공간의 영역에 따른 유형 구분을 분석한 결과는 〈표 7〉과 같다. 건축의 외부에 수공간이 조성되는 비율이 78%에 이르렀으며, 내부는 17%에 해당하였다. 공공건축과 공동주택은 다수의 이용자가 수공간을 체험적으로 즐길 수 있도록 외부 공간에 집중되어 있다. 물이 가지는 물리적 성질에 의하여 내부보다는 외부에

〈표 7〉 건축 용도별 수공간의 영역적 유형

	영역적 유형			
	내부	중첩	외부	에워쌈
종교 건축	2 (22%)	1 (11%)	5 (56%)	1 (11%)
공공 건축	4 (27%)	-	11 (73%)	-
공동 주택	-	-	12 (100%)	-
종합	6 (17%)	1 (3%)	28 (78%)	1 (3%)

서 활발하게 적용되고 있으며, 외부에 적용된 수공간은 강한 장소성을 형성한다.

종교건축이 다른 용도에 비하여 다양한 건축과 수공간의 다양한 관계를 형성하고 있음을 알 수 있다. 건축 내·외부공간에의 중첩과 건물 외부를 에워싸는 유형은 종교건축에 한하여 제한적으로 나타났다. 이는 종교건축이 특히 건축을 통하여 종교의 의미 및 상징성을 부각시키는 특징에 기인한 것으로 판단된다. 중첩 유형이 적용된 '물의 교회'는 물을 건축공간의 최우선의 주제로 활용한 사례로서, 예배당에 좁고 어두운 나선형으로 진입한 후 시각적으로 개방되는 공간이 나타나는데 이 때 물과 자연을 실내로 최대한 끌어들여 공간의 확장을 유도하며 종교적 특성을 극대화한다 (〈그림 1〉 참조). 건물 외부에서 에워싸는 유형이 적용된 'MIT 채플'은 수공간이 원형 예배실 외부를 감싸고 있는 형태로, 일상적인 외부 세계와 종교적 공간의 경계를 형성함으로써 상징적 보호막의 역할을 한다. 또한 내부에 수공간을 조성하지 않고도 반사 효과를 활용하여 내부에서 느낄 수 있도록 함으로써 종교적 공간의 효과가 극대화되고 감성적인 공간이 연출되었다[20] (〈그림 2〉 참조).

---

20) 외부의 빛이 외벽 주의의 얇은 물에 반사되어 그 빛이 건물 내벽 벽돌을 따라 비친다. 내부공간에 반사된 빛은 채플의 내부공간을 밝히며, 외벽의 틈 사이로 아래로부터 흘러 들어 신비한 느낌을 준다. 채플 내부에 직접 수공간을 도입하지 않고, 반사 장치에 의해 외부공간의 수공간을 내부에서도 느끼게 하여 종교적 공간의 효과를 극대화하였다. (손광호, 김강섭, 「종교건축 수공간 연구」, 195.)

〈그림 1〉 물의 교회(안도 다다오, 1988)
(출처:blog.naver.com/ hoshino_
resorts/221111102984)

〈그림 2〉 MIT 채플(에로 사리넨, 1956)
(출처:capitalprojects.mit.edu/projects/mit-
chapel-building-w15)

2. 수공간의 연출기법 유형에 따른 특성

〈표 9〉 수공간의 영역적 유형별 연출기법

	연출기법 유형					
	정적		동적			
	담수 (파동×)	담수 (파동○)	낙수	유수	캐스 케이드	분수
내부	1	-	-	-	3	2
중첩	-	-	-	1	-	-
외부	13	-	2	4	4	5
에워쌈	1	-	-	-	-	-
종합	15 (42%)	-	2 (6%)	5 (14%)	7 (19%)	7 (19%)
	15 (42%)		21 (58%)			

수공간의 연출기법에 따른 유형 구분을 종합적으로 분석한 결과는 〈표 9〉와 같다. 정적 수공간 42%, 동적 수공간 58%로 물의 역동성을 활용한 동적 수공간의 활용 비율이 더 높게 나타났다. 정적 수공간은 담수 중 파동이 없는 투영 기법이 유일하게 적용되고 있는 반면, 동적 수공간은 낙수, 유수, 캐스케이드, 분수 등의 연출기법들이 고루 다양하게 활용되고 있다. 따라서 각 연출기법별 적용 비율은 담수를 통한 투영 기법이 42%의 상당한 수준으로 높은 것으로 분석된다.

즉, 수공간의 연출기법이 담수-투영 기법에 치중되어 있는 한계를 보이며, 이는 담수공간이 물의 성질에 의한 영향이 작아서 구현이 용이하기 때문인 것으로 판단된다. Pretty et al. (2005)는 자연과 관계된 신체활동과 정신적, 신체적 건강에 관한 연구에서 사람이 자연과 만나는 단계를 세 가지로 정리한다. 첫 번째는 자연을 보는 것

(viewing nature)이며, 두 번째는 자연과 가까이 있는 것(being in the presence of nearby neture), 세 번째는 자연에 적극적인 참여와 개입(active participation and involvement with nature)이다. 이렇게 실제로 자연과 접하게 되는 것은 시각만이 아닌 후각, 촉각 등 더 폭넓은 긍정적 자극을 자연으로부터 받을 수 있게 한다[21]. 담수는 시각적인 가시성 외에 청각과 촉각의 효과는 미미한 수준이므로 자연을 보는 것에 해당하며, 공간적으로 사람들이 수공간에 근접하여 접근할 수 있으므로 자연과 가까이 있는 두 번째 단계까지의 관계 맺음이 가능하다. 자연과 가까이 있는 관계맺음을 강화하기 위하여 벤치와 조각 등의 구성요소를 추가하여 휴게공간으로 조성하고, 더 나아가 자연에 적극적인 참여와 개입을 위한 디자인으로의 발전이 필요하다. 유하니 팔라스마(Juhani Pallasmaa)가 제시한 촉각적 시각을 자극하는 여러 연출을 통하여 직접적인 접촉이 없이도 장면을 촉각화 시키는 기법의 도입을 검토할 필요가 있다.

일부 담수 공간에는 특정 시간에 한하여 분수 등의 기법을 적용하여 시각 외에 청각과 촉각의 심미적 요인을 부가하는 것도 담수 공간의 발전적 형태로 볼 수 있다. 종교건축 중 '가든 그로브 커뮤니티 교회'는 건물 외부에 인접해 있는 담수 공간에 예배 순서가 끝나는 시간에 분수를 가동하여 활기찬 분위기를 형성한다. 예배가 끝나면 강단과 외부 주차장을 시각적으로 연결한 거대한 유리문(Cape Kennedy Door)이 열리고, 유리문 주위의 수공간에서 뿜어져 올라오는 분수의 힘찬 모습을 교회의 내외부에서 볼 수 있다[22] (<그림 4> 참조). 공공건축 중 '포항시청사'의 경우 여름에 고온이 지속되는 경우 냉방효과를 위하여 또는 어린이들을 위한 레크리에이션 기능을 위하여 분수를 가동하여 다중적인 기능을 추구한다 (<그림 5> 참조).

---

21) Pretty J., Peacock, J., Sellens, M., & Griifin, M., "The mental and physical health outcomes of green exercise," *International Journal of Environmental Health Research*, Vol. 15, No. 5 (2005): 319-337. (윤은지, 임영환, 「의료시설에서 자연과 건축공간의 관계 구성에 대한 연구」, 『Journal of the Architectural Institute of Korea Planning & Design』 Vol 24, No. 12 (2018년 12월), 116. 재인용)

22) 손광호, 김강섭, 「종교건축 수공간의 현상학적 특성과 의미에 관한 연구」, 『한국실내디자인학회논문집』 제14권 제6호 (2005년 12월), 196.

〈그림 3〉 전남도청사
거울정원 (출처: 손광호,
2008, 22.)

〈그림 4〉 가든 그로브
커뮤니티 교회 분수 (출
처: www.youtube.com/
watch?v=S_skHxl9rkA)

〈그림 5〉 포항시청사 수공간
(출처: news.naver.com/main/read.
nhn?oid=421&aid=0002173641)

수공간의 영역적 유형별로 표본수가 동일하지 않기 때문에 그 경향과 차이를 분석할 수 없지만, 일반적으로 내부에는 정적인 담수공간이, 외부에는 동적인 담수공간이 주로 활용될 것이라는 편견은 해소된다.

건축 용도별로 수공간의 연출기법을 정리한 결과는 〈표 10〉과 같다. 종교건축과 공공건축은 수공간을 통한 직접적인 체험활동 보다는 공간 내에서 독특한 종교적인 분위기를 연출하는 등의 시각적인 상징성을 부여하고자 하는 의미가 크므로 연출기법 중 담수를 통한 투영 기법에 집중되어 있다. 공공건축의 경우 특히 물이 공간을 확장시키는 기능적인 특성을 활용하여 상당한 면적의 담수공간을 조성하는 경향이 있다 (〈그림 3〉 참조). 수공간을 통하여 동선을 유도하고 장소에 대한 기억을 강조한다. 담수는 평면적인 넓이를 통한 안정된 이미지를 형성하여 고요하고 평온하며 개방감의 느낌을 준다. 하지만 이는 자칫 공공건축의 권위적 분위기를 강조할 수 있으므로, 조각 및 조형물 등과 인접하여 배치하고 입체적이며 체험적인 디자인과의 연계가 필요하다.

공동주택은 수공간을 통하여 주민들의 활동과 교류를 유도하고자 하므로, 정적인 담수공간보다 동적인 수공간의 비율이 더 높다. 공해와 소음으로 가득한 도시에서의 삶을 피할 수 없게 된 사람들에게 있어 수공간과 같은 자연환경 요소와의 접촉에 대한 욕구는 더욱 강하게 나타난다[23]. 외부공간에 조성된 조경과의 유기적 연계를 통

23) 이승환, 이영수, 「생태적 특성을 적용한 수공간 계획에 관한 연구」, 『대한건축학회 학술발

하여 공동주택의 수공간은 생태학적 공간으로 조성되는 경향을 가진다. 주거라는 인간의 기본적 생활공간에서 자연형 연못, 생태연못, 실개천과 같은 자연의 물을 재현함으로써 심리적 위안을 향상시킨다. 이러한 동적 수공간은 시각적 표현 기법에 머무르지 않고 청각과 촉각을 통한 체험적 요소가 가중된다.

<표 11> 건축 용도별 수공간의 연출기법 유형

		연출기법 유형																			
		정적				동적															
		담수(파동×)		담수(파동○)		낙수				유수				캐스케이드				분수			
		A	B	A	B	A	B	C	D	A	B	C	D	A	B	C	D	A	B	C	D
종교건축	1	●																			
	2	●																			
	3	●																			
	4																	●			
	5														●						
	6															●					
	7											●									
	8	●																			
	9	●																			
	합	5										1				1	1		1		
공공건축	1	●																			
	2	●																			
	3	●																			
	4							●													
	5	●																			
	6																●				
	7																				●
	8	●																			
	9																●				
	10																●				
	11													●							

표대회 논문집 계획계』제23권 제1호 (2003년 4월), 191.

		1	2	3	4	5	6	7	8	9	10	11	12	13	14	15	16	17	18	19	20
공공 건축	12																				●
	13	●																			
	14	●																			
	15																●				
	합	7						1				1		1	1	2	1		2		2
공동 주택	1												●								
	2																	●			
	3							●													
	4																	●			
	5	●																			
	6																●				
	7									●											
	8										●										
	9	●																			
	10											●									
	11	●																			
	12																●				
	합	3						1		1	1	1	1				2	2			
종합		15	-	-	-	-	-	2	-	1	1	2	1	1	1	2	3	3	2	-	2

〈그림 6〉 공동주택에 도입된 자연형 수공간

(출처: www.jibboa.com/board/?b_info=2&page=23&code=view&numid=7136)

V. 결론

물은 생리학적으로 인간에게 가장 친숙한 존재이며 사람들은 본능적으로 물과 친숙하여, 다양한 건축에서 수공간을 적극 도입함으로써 차별적인 정체성을 도모하고 있다. 과거로부터 수공간은 인간의 건조환경을 이루는 중요한 구성요소로서의 역할을 해 왔으며, 물이 있는 경관에서 물은 실제적으로 구심점의 중요한 장을 구성한다. 물이 가지는 긍정적인 이미지, 유동성을 바탕으로 하는 다양한 표현성, 인간의 감각과의 상호작용을 통하여 공간을 변화시키는 장점 등은 디자이너들에게 매우 매력적인 요소로 작용하여 물은 다수의 공간에서 디자인 요소로 적극 활용되고 있다. 사람들은 조경에 물이 있을 때 긍정적으로 반응한다는 연구결과들이 발표되었다. 따라서 이 연구에서는 수공간의 도입이 가장 활발한 종교건축, 공공건축, 그리고 공동주택의 세 가지 건축의 용도별로 도입된 수공간의 유형과 그 유형에 따른 특성을 분석함으로써 그 차별성을 탐구하고자 한다.

건축에서 수공간의 영역적 유형은 건축 내부, 중첩, 외부, 에워쌈으로 구분되며, 그 중 건축에 외부에 수공간이 조성되는 비율이 가장 높았다. 물이 가지는 물리적 성질과 다수의 이용자가 수공간을 체험적으로 즐길 수 있도록 조성하고자 하는 의도에 기인한 것으로 해석된다. 종교건축은 다른 용도에 비하여 건축과 수공간이 다양한 관계를 형성하고 있는데, 이는 종교건축이 수공간을 통하여 상징적 의미와 장소성을 부여하기 위한 것으로 판단된다.

수공간의 연출 기법은 크게 정적과 동적 기법으로 구분되며, 정적 기법은 파동이 있는 담수(투영, 창)와 파동이 없는 담수(질감, 활성체), 동적 기법은 낙수(전체 면, 분절 면, 낙수구, 부서지는 면), 유수(부드러운 벽천, 질감 있는 벽천, 고요한 흐름, 격동적 흐름) 캐스케이드(캐스케이드 벽천, 계단-돌출형태, 계단-면, 계단-풀), 분수(명확한 기둥, 기포 매스, 스프레이, 확산되는 폭포수)로 세분화된다. 동적 기법의 활용 비율이 더 높게 나타났지만, 세분화된 기법으로 비교하면, 파동이 없이 투영되는 담수 기법의 활용이 가장 높았다. 이러한 치중은 수공간의 디자인에 있어 그 한계를 보여준다. 사람과 자연과의 관계맺음에 있어 마지막 단계인 적극적인 참여와 개입을 위하여 디자인 기법의 확대가 요구된다. 윤국병(1980)은 매우 다이내믹하게 소용돌이치며 단상으로 흐르는 캐스케이드, 벽천, 솟아오르며 물소리를 내는 물 오르갠(Water Organ)(수력으로 오르간을 울리게 하는 장치로서 주로 동굴 속에 설치), 무심히 지나가는 사람으로 하여금 깜짝 놀라게 장치된 비밀분수(Secret Garden, 의식적으로 분수구를 감추어 부근 일대에 시원스런 느낌이 감돌게 한 것으로 경이분수와 같은 유희적인 성격을 띤 시설은 아님), 경이분수(Surprise Fountain. 사람을 놀라게 하는 분수로, 평상시에는 전혀 물이 솟아오르지 않다가 사람이 가까이 가면 갑작스레 물을 분출시키거나 또는 전혀 물이 없는 곳임에도 불구하고 사람이 앉으면 사방으로부터 물이 뿜어 나와 흠뻑 젖게 하는 등 다분히 장난기가 있는 장치) 등 화려하고 다양하게 사용되는 수공간의 디자인 기법들을 소개하였다[24]. 공동주택은 다른 용도에 비하여 정적인 담수공간보다 동적인 수공간이 다양하게 활용되었다. 이는 물의 시각적 감각에 머무르지 않고 청각과 촉각을 통한 체험적 요소가 활용된 것으로, 아파트의 공용공간인 외부공간에 조성된 수공간은 주민들의 활동과 교류를 유도하고자 하고 최대한 자연과 유사한 형태로 조성되는 특성에 기인한 것으로 분석된다.

물은 인간의 오감을 자극하는 자연요소로서 그 자체로서도 다양한 심리적 자극을 느끼게 하지만, 물이 담겨지는 형태와 양, 물의 움직임, 물을 만지면서 느끼는 심리적 효과 등으로 그 자극은 더욱 배가된다. 따라서 물을 담고 흐르게 하는 수공간의 형태 및 기법들은 매우 중요한 역할을 한다. 자연적 요소로서의 물의 활용이 더욱 정교해지면 시각적, 청각적, 촉각적 감각을 활성화시키는 디자인으로의 발전을 기대할 수 있다.

주제어(Keyword)
물, 수공간, 담수, 낙수, 유수, 캐스케이드, 분수, 종교건축, 공공건축, 공동주택
Water, water space, ponding, waterfall, running water, cascade, fountain, religious building, public building, apartment complex

---

24) 윤국병, 『조경사』, (일조각, 1980), 119.

참고문헌

김효진, 박한규, 「시지각적인 측면에서 본 수공간의 형태에 의한 건축공간의 변화에 관한 연구 (안도 다다오의 작품을 중심으로)」, 『대한건축학회 학술발표대회 논문집』 제21권 제2호 (2001년 10월): 585-588.

박소람, 김광현, 「물(水)이 건축재료와 만나 감성을 자극하는 매개로 작용하는 현상적 특성 연구」, 『대한건축학회 학술발표대회 논문집』 제33권 제1호 (2013년 4월): 163-164.

손광호, 김강섭, 「종교건축 수공간의 현상학적 특성과 의미에 관한 연구」, 『한국실내디자인학회논문집』 제14권 제6호 (2005년 12월): 193-201.

손광호, 김강섭, 「지역 공공건축 수공간의 해석과 디자인 방안에 관한 연구」, 『대한건축학회 논문집』 제24권 제12호 (2008년 12월): 19-26.

윤국병, 『조경사』, (일조각, 1980).

윤은지, 임영환, 「의료시설에서 자연과 건축공간의 관계 구성에 대한 연구」, 『Journal of the Architectural Institute of Korea Planning & Design』 Vol 24. No. 12 (2018년 12월): 113-122.

이승환, 이영수, 「생태적 특성을 적용한 수공간 계획에 관한 연구」, 『대한건축학회 학술발표대회 논문집 계획계』 제23권 제1호 (2003년 4월): 191-194.

이영호, 김행신, 「서구건축공간에서 물과 수공간의 의미에 관한 연구」, 『한국주거학회논문집』 제13권 제3호 (2002년 6월): 11-20.

임석재, 『사회미학으로 읽는 서울건축』, (이화여자대학교출판부, 2011).

최유리, 황연숙, 이송현, 「공동주택의 친수공간에 나타난 디자인 특성에 관한 연구」, 『한국생태환경건축학회 학술발표대회 논문집』 통권16호 (2009년 5월): 231-234.

허진설, 김문덕, 「현대식음공간의 수공간 연출기법에 관한 연구」, 『한국실내디자인학회 학술대회논문집』 제11권 제2호 (2009년 10월): 101-106.

홍성용, 『스페이스 마케팅』 (삼성경제연구소, 2007), 162.

Axel Lohrer, 『수공간 디자인의 기초』, 반상철 옮김 (spacetime, 2012).

Charles W. Harris and Nicholas T. Dines, Time-Saver Standards for Landscape Architecture (McGraw-Hill Education, 1997).

Juhani Pallasmaa, 『건축과 감각』, 김훈 옮김 (spacetime, 2013).

그리스도교 미술 연구 총서 10

물

2019년 10월 04일 초판 1쇄 인쇄
2019년 10월 11일 초판 1쇄 발행

엮은이 · 인천가톨릭대학교 부설 그리스도교 미술연구소
펴낸이 · 권혁재

편집 · 조혜진
출력 · 동양인쇄
인쇄 · 동양인쇄

펴낸곳 · 학연문화사
등록 · 1988년 2월 26일 제2-501호
주소 · 서울시 금천구 가산동 371-28 우림라이온스밸리 B동 712호
전화 · 02-2026-0541~4 | 팩스 · 02-2026-0547
E-mail · hak7891@chol.com | 홈페이지 · www.hakyoun.co.kr

ISBN 978-89-5508-403-0 94600
ISSN 2234-0874